JN111135

新型コロナ
ウイルス感染症と対時した
ダイヤモンド・プリンセス号の四週間

ー 現場責任者による検疫対応の記録 ー

著者　橋本　岳

一般財団法人　日本公衆衛生協会

本書は、新型コロナウイルス感染症が国内ではまだ散発的な発生に止まっていた頃に、世界的に注目された「ダイヤモンド・プリンセス号」での対応の記録を、当時、厚生労働副大臣として一貫して陣頭指揮に当たっておられた橋本岳　衆議院議員が、今後の施策への参考とすべくまとめられたものです。

多くの関係者が危険を顧みず、現場で検疫等の業務に奮闘されたことを伝えるとともに、新たな感染症への備えとして、貴重な記録を広く公衆衛生関係者で共有するために本書を発行することといたしました。

令和３年９月

一般財団法人　日本公衆衛生協会

はじめに

令和２年２月３日、クルーズ船ダイヤモンド・プリンセス号は、乗客乗員計3,711名を乗せ、横浜港に到着した。香港で下船した乗客が新型コロナウイルス感染症に感染していたことが明らかになっていたため、横浜検疫所は臨船検疫を開始した。厚生労働省や防衛省は、DMATなど多くの支援者の協力を得て、医療面などにおいて支援を行った。乗客および乗員は、医療機関への搬送、検疫の終了、宿泊施設への移動、チャーター便での帰国などにより順次下船した。最終的に３月１日に全乗客乗員の最後に船長が下船し、ダイヤモンド・プリンセス号の対応は終了した。712名が船内で新型コロナウイルス感染症に感染し、うち13名が亡くなった。他に出国後に感染が判明した方および亡くなった方もいる。

ダイヤモンド・プリンセス号での検疫は、乗客の方々にとっては、楽しいクルーズ航海が一転して検疫による客室待機という不自由な生活となり、場合によっては愛する人との永の別れや苦しい療養生活といった悲劇に直面することになった。また乗員にとっては、暖かく乗客たちをもてなし、安全に船を航海させることが本来の職務であったのに、自らも感染のリスクに怯えながら検疫にご協力をいただく経験となってしまった。おそらくは思い出したくもない、極めて辛い出来事であっただろう。

一方で、船内外において多くの方々が熱い志を持ち、未知の感染症蔓延という危機下において、乗客乗員の支援のために勇気を持って力を尽くしてくださった。その結果、幾多の困難に直面しながらも、日本国内にダイヤモンド・プリンセス号由来のウイルスを無秩序に拡散させることなく、また船内で死者を出すこともなく、全員を下船させることができた。

全てを逐一書き残すことはとてもできないが、せめて知る限りの経緯と反省をまとめ、今後の改善に繋げることが、知る者の責務と考える。橋本は、当時厚生労働副大臣を務め、現地の責任者として船内に入り対応にあたった。本稿は、その経験をもとにダイヤモンド・プリンセス号の対応の経緯を記録に残し、1年半を経た時点における個人的な評価と改善点を整理することで、今後の政府などによる検証や社会からの評価に資することを目的とする。

Ⅰ章では、2019年末の新型コロナウイルス感染症の発生から、翌年3月1日の船長の下船までの経緯を概ね時系列的に記す。Ⅱ章では、この対応の評価と影響について整理し、今後改善すべき点について提言を行う。また、この対応にあたりDICT（災害時感染制御支援チーム）として駆けつけていただいた前岩手県立医科大学感染制御部長の櫻井滋先生に「雑感：クルーズ船とDICT」として文章を寄せていただいた。船内における感染制御活動の経緯や内容が客観的に記述されており、あわせてご覧いただきたい。なお、本文に登場する方々の肩書や所属はすべて当時のものである。

改めて、ダイヤモンド・プリンセス号における新型コロナウイルス感染症の蔓延にあたり、心ならずも亡くなられた方々に対して深く哀悼の誠を捧げ、感染の有無を問わず、検疫や療養により不自由やご労苦をおかけした方々に対して心からのお見舞いを申し上げる。また、船内外でダイヤモンド・プリンセス号対応にご協力いただいた全ての皆さまの勇気を称え、心からの感謝を申し上げたい。

2021年9月

橋本　岳

目　次

はじめに

口絵

Ⅰ章　ダイヤモンド・プリンセス号対応の経緯

Ⅰ-1.　ダイヤモンド・プリンセス号到着まで *1*

武漢市ロックダウン／指定感染症か新感染症か／大臣レク／PHEIC宣言と指定のタイミング／武漢チャーター便オペレーション／武漢チャーター便オペレーションにおける感染対策

Ⅰ-2.　ダイヤモンド・プリンセス号横浜港到着（2月3日～9日） *12*

ダイヤモンド・プリンセス号、横浜港へ向かう／臨船検疫、開始／検疫法とは／結果判明、深夜のミーティング／感染制御開始／外洋への航行について／陽性者の搬送／薬がない！／東京での動き／大臣室の直談判

Ⅰ-3.　乗船一週間目（2月10日～16日） *44*

いきなりの乗船／搬送者の優先順位づけの変更／ジェンナーロ・アルマ船長とのミーティング／急遽の陽性者下船オペレーション／船長のいら立ち／下船させるべきではないか／JMATが来ない／ダイヤモンド・プリンセス号での生活／現地報告書 #1／和光オペレーションの公表／とにかく手指衛生／自見政務官本省訪問／DICTの船外への移行／JMAT活動開始／バレンタインデー／現地報告書 #2／平常時におけるダイヤモンド・プリンセス号の下船手順／検疫終了手順の検討／サプライズ／誤った内容の手紙の配布／乗客の方へのお手紙

Ⅰ-4.　乗船二週間目（2月17日～23日） *98*

厚労省職員の陽性者確認／ある感染症専門家の乗船／慌ただしい下船開始準備／検疫終了による下船開始／動画の反響／検疫終了による下船・二日目／船内写真のアップと削除／乗員の検体採取開始／検疫終了による下船・三日目／香港へのチャーター便出発／濃厚接触者の移動と終了条件の検討／乗員検疫の課題／客室の消毒作業

Ⅰ-5.　乗船三週間目（2月24日〜3月1日） *125*

サービス停止後の船内／フィリピンからのチャーター便による下船／客室での休業／厚生労働省支援チームの段階的撤収／待機／ダイヤモンド・プリンセス号対応最終日の船長アナウンス／“Goodnight, Diamond Princess!”／その後

Ⅱ章　評価と提言

Ⅱ-1.　検疫対応の影響と評価 *141*

ダイヤモンド・プリンセス号由来のウイルス株は終息した／感染者の数をどう考えるか／支援チームの感染対策とゾーニング／感染症と差別／医療に対する影響とその後に与えた教訓／入院医療費の負担について／クライシス・緊急事態リスクコミュニケーション（CERC）について／記録や報告書などの整理

Ⅱ-2.　今後に向けた提言 *167*

健康観察・療養の施設の確保／感染症対応を専門とする医療支援・生活支援の体制づくり／災害級の検疫に対応する法制度や体制などの整備／現場での対応についての検証と今後への備え

雑感：クルーズ船とDICT（櫻井滋） *174*

参考文献

あとがき

ダイヤモンド・プリンセス号

（提供：プリンセス・クルーズ）

ダイヤモンド・プリンセス号の船内（上：プールデッキ、下：アトリウム）

（提供：プリンセス・クルーズ）

大黒ふ頭にて検疫中のダイヤモンド・プリンセス号

（撮影：橋本岳）

サボイ・ダイニングにて（左：櫻井教授、中：橋本、右：泉川教授）

（提供：櫻井滋氏）

政府支援チーム・医療支援チーム・メディカルセンタースタッフ
（提供：自見はなこ氏）

最終日のアルマ船長および政府支援チーム
（提供：自見はなこ氏）

ダイヤモンド・プリンセス号を下船し、バスに乗り込むアルマ船長ら

（撮影：橋本岳）

Ⅰ章　ダイヤモンド・プリンセス号対応の経緯

Ⅰ－1.　ダイヤモンド・プリンセス号到着まで

武漢市ロックダウン

2019年12月31日、中国政府はWHO（世界保健機関）中国事務所に対し、中国湖北省武漢市において原因不明の肺炎が複数報告されるようになった旨を通知した。2020年1月3日の時点で、病因不明の肺炎患者44例のうち11例は重症であり、残りの33例は安定しているとの報告であった。報道によると、関係する海鮮市場は環境衛生と消毒のために2020年1月1日に閉鎖されたことが確認された。これが、2020年から猛威を振るったコロナ禍を世界が認識したはじまりである。

日本では、新年仕事初めの雰囲気がまだ冷めやらぬ中、1月5日に厚生労働省検疫所FORTHのホームページにて「原因不明の肺炎－中国」と題してこの情報は掲載された。2002年のSARSや2009年の新型インフルエンザウイルスの対応にもあたった厚生労働省では、担当である健康局結核感染症課などを中心に慎重なモニターが続けられていた。中国国内での感染症の情報はIHR（WHOの国際保健規則：International Health Report）ルートで入ってくる。1月9日付けで、WHOは遺伝子解析により新種のコロナウイルスによる感染症の可能性が高いと公表した。まだこの時点では日本には感染例はない。武漢市では感染が広がっているようにも思われたが、大きな春節のイベントも開かれており、現地の状況がよくわからない時間が続いた。

ところが1月23日、武漢市は厳しい移動制限や商店街の閉鎖などの都市閉鎖（ロックダウン）を突然命じた。これはその後4月23日まで76日間続くこととなる。重機を使って武漢市に続く道路を物理的に封鎖する映像や、病院の待合室が診察を待つ患者で溢れる映像などが、世界へ発信された。この時点で、世界中の人々は初めて新型コロナウイルス感染症によるパンデミックの恐怖を垣間見ることになったのである。

その後またたく間に感染拡大は勢いを増した。1月27日には新規患者数が武漢市のみでも892人となり、前日の80人から10倍以上に増加した。ヒト－ヒト感染の可能性も示唆された。また武漢市周辺の都市でも感染者が発見される状況となった。

指定感染症か新感染症か

国内では1月16日に初めて感染者が確認された。この方は、武漢市の滞在歴がある方だった。その後も訪日客などが中心として感染者の確認が続いたが、1月28日に確認された国内発生例6例目からは、武漢市からのツアー客にバスの運転手などの形で接触した国内の方も含まれるようになり、国内でのヒト－ヒト間の感染も示唆されることとなった。

そうした状況の中、厚生労働省では対策の検討が進められた。まず必要なことは、具体的な対策を実施する根拠となる法令のどこかに、新型コロナウイルス感染症を位置付けることである。

一般的に、新種の感染症が発生し通常の医療・健康施策以上の対応が必要と判断された際には、「感染症の予防及び感染症の患者に対する医療に関する法律」(以下、感染症法)、「新型インフルエンザ等対策特別措置法」(以下、新型インフルエンザ特措法）および「検疫法」など根拠となる法律のどこかに、その感染症を位置付ける必要がある。感染症法においては、既に知られている感染症については、感染力および罹患した場合の重篤性などから判断した危険性の程度に応じて一類感染症から五類感染症に分類されており、新たな感染症については新型インフルエンザ等感染症、指定感染症、そして新感染症という3つの分類が示されている。それぞれの分類により政府が行える対策の内容や強さが異なっている。

たまに「状況が不明な危機対応なのだから、まずは強力な対応が行えるようにすべき」という意見に接することがある。一理あるとは思うものの、日本においてはハンセン病、後天性免疫不全症候群（AIDS）などの感染症の患者などに関するいわれのない差別や偏見が存在したという経緯も存在することは、感染症行政にあたる者は決して忘れるべきではない。感染症法の前文では「感染症の患者等の人権を尊重しつつ、これらの者に対する良質かつ適切な医療の提供を確保し、感染症に迅速かつ的確に対応することが求められている」としており、一方的な判断には与すべきでない姿勢が保たれている。

新型コロナウイルス感染症は、当然にインフルエンザウイルスとは別種のウイルスであり、新型インフルエンザ等感染症に当てはめることはできない。また武漢市での様子からは、三類感染症以上の対策が必要なことは明らかであったため、四類感染症（鳥インフルエンザ、狂犬病など）や五類感染症（季節性インフルエンザ、麻しん、後天性免疫不全症候群など）に政令で指定することも適当ではないと考えられた。したがって、指定感染症として一類～三類の規定を適用するか、新感染症とするか、いずれかが省内でも議論された。

大臣レク

中央省庁の特有の用語のひとつに「レク」という言葉がある。おそらくは「レクチャー」の略であると思われるが、幹部や議員などに対して説明や打ち合わせを行うことをレクと呼ぶことが多い。大臣に対して行われるレクは大臣レクと呼ばれ、一般的には大臣と事務方のみで行われる。そこでさまざまな方針が実質的に決定され、副大臣以下はその結果を後で知らされることも少なくない。

しかし新型コロナウイルス感染症対策に関する大臣レクは、加藤勝信厚生労働大臣の指示により、当初から副大臣および大臣政務官も出席してよいこととされた。そのため大臣レクは政務全員がほぼ毎日出席する、厚生労働省における実質的な議論と決定の場として機能していた。副大臣や大臣政務官が大臣とともに席を同じくして議論ができる機会は実は普段はかなり限られており、これは加藤大臣の英断であったと考える。

新型コロナウイルス感染症をどこに位置付けるかも、1月下旬の大臣レクにおいてかなり熱をこめて議論されたテーマの一つであった。

加藤大臣はじめ政務三役（大臣、副大臣、大臣政務官を指す）は、新感染症への指定を模索していた。なぜならば、まさに新しい感染症である新型コロナウイルス感染症がどの程度の感染力や重篤性を持つのか判断する材料が乏しい中、新感染症とすれば、感染症法の規定のみならず新型インフルエンザ特措法の適用も視野に入るため、同法に基づく政府対策本部の設置や緊急事態宣言などの実施まで迅速に可能となるからである。しかし法律を所管する健康局の幹部は、新感染症の要件に当てはまらないとして指定感染症への指定を主張した。新感染症の要件として①既知の感染症ではないこと、②人から人への伝染力が強いと認められること、③罹患した場合の病態が重篤であることの三点が挙げられるが、新型コロナウイルス（SARS-CoV-2）は新種とはいえ既に新型コロナウイルス感染症の原因として特定されており、コロナウイルスの一種として既知であるという理由であった。感染症法の逐条解説[1)]では、エボラ出血熱の例を挙げ、1976年6月にスーダンで最初の患者が発見されてからウイルスが同定される11月までに約280名の患者が発生し、152名が死亡した経緯を踏まえ、「原因不明であっても人から人への伝染力が強いと認められ、かつ罹患した場合の病態が極めて重篤な感染症に限定した上で、医療の提供、必要な感染拡大防止ができるような法制の構築が求められている」としている。橋本は「原因不明の病気が確認された際、時間をかけて中毒や薬害といったものを否定しなければ『感染症』とは断定できず、厳密に要件の当てはめを行うとそもそも『新感染症』に当てはまるケースがなくなってしまうのではないか」という疑問を呈し、加藤大臣や自見政務官からも意見をしたが、事務方の主張を覆すことはできず、その時は指定感染症とすることとなった。

新型コロナウイルス感染症の指定感染症への指定により、患者に対して強制力のある措置入院とすることが可能になり公費での医療となること、患者発生時の届け出が医師の義務となること、積極的疫学調査が法に基づくものとなることとなる。また検疫感染症の指定により、検疫所長は航空機や船舶の乗客乗員に対する質問、診察・検査、消毒などが法律に基づいて可能となるほか、検疫済証または仮検疫済証を交付する際の検査の対象となる。

一方で、新型インフルエンザ特措法の適用は、当時は指定感染症ではできなかった。そのため新型コロナウイルス感染症の国内での感染拡大を受け、政府は3月に入ってから改めて新型インフルエンザ特措法の改正案を国会に提出し、新型コロナウイルス感染症を同法における新型インフルエンザ等とみなすための手続きを行うこととなる。問題は、指定感染症と新感染症とでは、感染症法上は同等であるが、新型インフルエンザ特措法に規定された措置がとれるか否かという点で政府の権能に差があったことであり、その解消のための法改正は、翌2021年の通常国会にて行われることとなった。

PHEIC宣言と指定のタイミング

次に検討されたのは、指定感染症の指定の時期である。当初は、過去の例によりWHOが「国際的に懸念される公衆衛生上の緊急事態（PHEIC：Public Health Emergency of International Concern）」を宣言したことを受けて指定を行うことを想定していた。PHEICとは、（1）疾病の国際的拡大により、他国に公衆の保健上の危険をもたらすと認められる事態、（2）緊急に国際的対策の調整が必要な事態、とWHOが認めた時に宣言されるものであり、過去には2009年豚インフルエンザA（H1N1）（新型インフルエンザ）をはじめ5回宣言されている。1月22日12時（ジュネーブ現地時間）からWHOの緊急委員会が召集をされ、翌日までにわたり議論が行われたため、厚生労働省ではPHEIC

が宣言されたらすみやかに指定を行う準備を整えていた。ところが、1月23日15時（ジュネーブ時間）に出された結論は「PHEICに該当しない」というものだった。しかし日本では既に複数例の感染者が日々確認されており、対策手段を準備する必要性は高まっているものと考えられた。そこで加藤大臣が大臣レクにおいて強く指示したことにより、PHEICを待たずして指定感染症に指定することとされ、1月28日の閣議において「新型コロナウイルス感染症を指定感染症として定める等の政令」が決定された。なお内閣法制局の見解として、罰則規定が含まれるため公布から施行まで最低10日間待つ必要があるとされたため、当初は2月7日施行と決定された。しかし国会などにおける議論や1月31日にWHOがPHEICを宣言したことを受け、安倍晋三内閣総理大臣が施行日を前倒しする方針を示し、2月1日に施行された。

なお指定感染症の指定と同時に、新型コロナウイルス感染症は検疫法第二条三号における検疫感染症にも指定され、入国者に対する質問、検査、受診の指示、健康状態の報告を求めることなどが可能となった。また、検疫法第四条（入港の禁止）や第五条（交通等の制限）など、ダイヤモンド・プリンセス号の検疫において適用された条文も新型コロナウイルス感染症に関して効力をもつこととなった。仮に施行の前倒しがなく2月7日施行のままであったら、2月3日に横浜港に入港したダイヤモンド・プリンセス号の検疫は新型コロナウイルス感染症の国内蔓延防止を理由としては行えなかったわけであり、実は綱渡り状態であった。今振り返ると冷や汗が出る思いがする。

このように、厚生労働省では、ひとつ一つ議論を積み重ねながら、必要な対策を講じていた。橋本の印象では、過去の経験を踏まえつつもタイミングなどにおいて手探りの対応の連続だったともいえる。

なお1月28日に厚生労働省は、加藤大臣を本部長とする「新型コロナウイルス感染症対策推進本部」を設置し、省内の会議室（後に2F講堂に移る）に様々な部署からの職員をかき集め、全省一丸となって対策に取り組む体制を整えた。必要に応じて技術総括班、医療体制班、サーベイランス班、検査班、広報班、マスク班、クラスター班といった班が順次設置され、最大時には兼務や他省庁・自治体・民間などからの応援も含めて約500名に及ぶ大所帯となる。また政府全体としても、内閣総理大臣を本部長とする「新型コロナウイルス感染症対策本部」の設置を1月30日に閣議決定した。

武漢チャーター便オペレーション

武漢市がロックダウンされた1月下旬当時、武漢市がある湖北省では約710名の日本人が滞在を届け出ており、実際の滞在が確認できたのは約430名であったという[2)]。武漢市の都市封鎖に伴い彼らの安否が懸念されていたところ、1月26日に安倍総理は「中国政府との調整が整い次第、チャーター機などあらゆる手段で希望者全員を帰国させる」と首相官邸で発表した。また同日、茂木敏充外務大臣が中国の王毅外交部長と電話会談を行い、中国への支援の申し出を行うとともにチャーター機派遣への協力を依頼した。政府間および航空会社（全日空）や現地におけるさまざまな調整および準備の末、第1便が1月28日に羽田空港を離陸、翌29日8時40分に206名の日本人を乗せて着陸した。その後第2便（30日到着、210名帰国）、第3便（31日到着、150名帰国）、第4便（2月7日到着、198名帰国）、第5便（2月16日到着、65名帰国）と運航された。

厚生労働省は、このオペレーションでは、帰国された方々の検疫、症状のある方の医療機関への搬送先の確保および搬送、国立国際医療研究センターにおける問診、診察、PCR検査の検体採取、宿泊先への搬送および健康状態のフォローアップなどを担当した。

第1便到着時当初、帰国者で症状のない方には同意を得て診察や検査を行っており、同意が得られなかった2名については検疫官が自宅に送った。またPCR検査の陰性が確認されれば、その他の方々も自宅などにお戻りいただき健康状態のフォローアップをする方針としていた。これはこの時点では、帰国者に対して隔離や停留措置を行う権限が政府になく協力ベースであったこと、症状のない方の感染リスクに関して確たる知見がなかったことなどが理由であった。

しかしこれらの方針は、ただちにメディアや国会などにおいて感染拡大を懸念する意見や批判にさらされることとなり、宿泊先を確保して2週間の健康観察を行う方針に転換された。結果からいえば、当初の厚生労働省の方針は、慎重に過ぎたといえるであろう。一方で、宿泊先の確保や未知の感染症の不安に直面する帰国者の方々へのケアについては突然かつ急遽の対応となり、政府にとっても困難なものであった。宿泊先の確保に関しては内閣官房が担当したが、千葉県のホテル三日月が協力して下さった唯一の例を除き、この時点では民間宿泊業者の協力は全く得られなかった。また、各省庁が保有する宿舎についても、相当なやり取りの末に確保されたものと聞いている。宿泊施設の不足問題は、後にダイヤモンド・プリンセス号の検疫においても暗い影を落とすこととなる。

2月1日には、帰国者の対応にあたっていた内閣官房の職員が宿泊施設から転落して亡くなった。報道[3]によれば、警察は自殺の可能性があるとみていたという。現場で何があったのか詳細は不明であるが、突然の不慣れな業務や帰国者の方々との対応の中で極めてストレスが高い環境にあったことは想像に難くない。我が国の新型コロナウイルス感染症関係の最初の死亡者が、感染症そのものによるものではなく、対応にあたった職員の死亡であったことは本当に残念であり、痛恨の出来事である。感染症による死者を減らすことが対策の目的であるが、そのために別の方が亡くなってしまうのでは、何のためにやっているのかわからない。後に橋本らがダイヤモンド・プリンセス号の対応にあたるに際し「船内で一人の死者も出さない」という目標を掲げたのは、単に乗客乗員のみを念頭に置いたものではなく、支援スタッフまで含めてこのような悲劇を二度と繰り返さないという決意を込めたものでもあった。

なお、国立感染症研究所のレポート[4]によると、第1～5便までの帰国者をまとめると、829名が帰国し、それぞれ帰国後2週間以内に2回以上のPCR検査が実施されたのは815名（98%）であった（ただし帰国後2週間経た後に発症した方1名を除く。この方は帰国して自宅療養していた患者の同居人であり、家庭内での伝播が示唆される）。このうち帰国後2週間以内に陽性が確認されたのは14名（1.7%）であり、うち4名は無症状病原体保有者（以下、無症状者と記す）であり、7名に肺炎を認めた。3名は発熱や咳嗽（せき）などの軽度な症状を発症していた。チャーター便帰国者の中に死亡者はいない。

なお当時、市中においては発熱などの症状がある疑似症患者に対してのみPCR検査を行っていたため、国内では症状の有無によらず特定の集団全員にPCR検査を行った初めての例であり、無症状者の存在が確認された初めての例でもある。

武漢チャーター便オペレーションは、宿泊施設において健康観察を行っていた第5便の帰国者63名全員の陰性が3月2日に確認され、終了した。

武漢チャーター便オペレーションにおける感染対策

武漢チャーター便による帰国者は、政府が保有する宿泊施設（税務大学校和光校舎和光寮、船橋寮、霞寮、国立保健医療科学院、税関研修所）および民間のホテル三日月に分散して滞在していた。29日の第1便の帰国者から3名の感染（うち2名は無症状者）が確認されたことから、各施設における医療的な対応の必要性が浮上した。30日の政府新型コロナウイルス感染症対策本部会合において、安倍晋三総理は「帰国者の皆さんの健康管理に、引き続き万全を期して参ります。（…中略…）災害時のDMAT（Disaster Medical Assistance Team：災害派遣医療チーム）の仕組みも活用し、そのために必要となる医師の派遣も迅速に行ってください」と発言、厚生労働省より全国DMATに対して派遣要請を行った。

この件に関するDMATの活動は1月31日から3月3日まで続き、総人数合計151名（医師57名、看護師50名、調整員44名）が、国立保健医療科学院、税務大学校和光校舎和光寮、船橋寮、霞寮、税関研修所にて宿泊者健康チェックや感染管理などの活動を行った[5)]。

実はDMATは医療職としての一般的な感染症対策に関する知識は有するものの、その名の通り災害医療が専門であり、必ずしも感染症対策が専門というわけではない。厚生労働省として緊急に派遣可能な医療チームがDMAT以外にいないため招集したのである。

しかし、医師である自見はなこ厚生労働大臣政務官は、DMAT招集を知り感染症の専門家を招くべきではないかと懸念を抱いた。たまたま1月28日に自由民主党本部において開催された会合において、自見政務官は日本環境感染学会の吉田正樹理事長らと面識を持つ機会があった。そこで2月2日に大臣政務官室において内閣官房や厚生労働省の関係者、および日本感染症学会舘田一博理事長、日本環境感染学会吉田理事長をはじめ、医療関係団体の幹部らを招いて打ち合わせを行い、宿泊施設における医療的支援や感染症対策について整理を行った。その結果、4日から各宿泊施設に感染症の専門家がチームで入ることとなり、宿泊施設ごとに感染防御のためのPPE（Personal Protective Equipment：個人防護具）の標準化や散歩などに関する取り決めについて統一した運営が行われることとなった。また日々レポートを作成し、4つの施設間において電子メールで共有をすることとした。このメーリングリストには自見政務官が参加し、後に橋本も加わり情報を共有した。

また自見政務官は1日に長崎大学の河野茂学長に連絡をしており、その指示により長崎大学の泉川公一教授も支援に参加することになった。大臣政務官室にて4日に各学会の感染対策チームの実働役となる専門家および厚生労働省との打ち合わせがあり、その場から泉川教授は現地視察に向かった。以後、感染症の専門家が参加した形で4つの施設の感染対策に関する助言および支援を行うこととなった。

武漢チャーター便帰国者の宿泊施設における感染対策の経緯を振り返ると、

厚生労働省は個々の施設における感染症対策については当初十分に専門家を活用せず、結果として自見政務官の個人的人脈によって対策強化を図ることとなった。これは将来に課題を残したものと思われる。当時厚生労働省内では、新型コロナウイルス感染症対策推進本部として全省的な体制で緊急にさまざまな対応に取り組んでいた中で、武漢チャーター便帰国者の健康チェックや搬送などの実務は主に医政局が担当しており、感染症関係を専門とする学会や専門家との関係が薄い部署であったことが一因とも考えられる。

一方で、この際に築いた感染症専門家の方々との協力関係は、後のダイヤモンド・プリンセス号の対応にも繋がるものであった。

Ⅰ-2. ダイヤモンド・プリンセス号横浜港到着（2月3日～9日）

ダイヤモンド・プリンセス号、横浜港へ向かう

クルーズ船ダイヤモンド・プリンセス号は、乗客定員2,706名、乗組員数1,100名、総トン数115,875トン、巡航速度22ノット（41km/h）の豪華客船である。全長290m、全幅37.5mの威容を誇り、これは戦艦大和（全長263m、全幅38.9m）と同規模の大きさといえる。三菱重工業長崎造船所で建造され、2004年に就航した[6)7)]。姉妹船にサファイヤ・プリンセス号がある。英国のP&O社が所有し、米国のプリンセス・クルーズ社が運航している。イタリア人のジェンナーロ・アルマ氏が船長を務めていた。

（撮影：橋本岳）

図1：大黒ふ頭に停泊するダイヤモンド・プリンセス号

ホテル並みのアメニティを整えた客室は1,353室を数える。5カ所のメイン・ダイニングに加え、寿司レストラン、イタリアンレストラン、ステーキハウスがあり、ルームサービスも可能である。劇場、バー、カジノ、宝石や服などのショップ、プール、ジム、温浴施設など、まさに浮かぶ高級ホテルと表現されるべき充実した施設を有し、クルーズ中は陽気な乗組員たちがさまざまな国から来た多くの乗客をもてなし楽しませていた。また4階には有床診療所なみの機能を備えたメディカルセンターを有し、医師・看護師が常駐して乗客の医療ニーズに対応するとともに、乗員の産業医としての機能を果たしていた。

ダイヤモンド・プリンセス号は、横浜港発着の15日間ツアーのため1月20日に横浜港を出港。鹿児島（1月22日）、香港（1月25日）、チャンメイ（1月27日）、カイラン（1月28日）、基隆（1月31日）、那覇（2月1日）とアジア各都市を巡航した。なお那覇港寄港の際には、新型コロナウイルス感染症対策のための水際対策が一般的に強化されており、ダイヤモンド・プリンセス号もその方針に従って那覇検疫所による健康カードの配布やサーモグラフィーなどを用いた発熱者の確認が行われ、その上で仮検疫済証の交付を受けている。

この航海中、1月25日に香港で下船した乗客が30日に発熱し、2月1日に新型コロナウイルス陽性であることが確認された。この乗客は23日から咳をみとめていたという。この乗客の存在については、香港政府から2月2日に厚生労働省に対して国際保健規則（IHR）に基づく通報があり、初めて日本政府の知るところとなった。ダイヤモンド・プリンセス号は、既に予定通り那覇港を出港、一路横浜港へ向かっていた。後の調査により判明したことでありその当時は不明であったが、クルーズ船内のメディカルセンターには横浜港出航以来、発熱患者が毎日数名程度ずつ訪れていた（図2参照）。これを踏まえ、国立感染症研究所は「2月5日にクルーズ船で検疫が開始される前にCOVID-19の実質的な伝播が起こっていたことが分かる」としている[8)9)]。

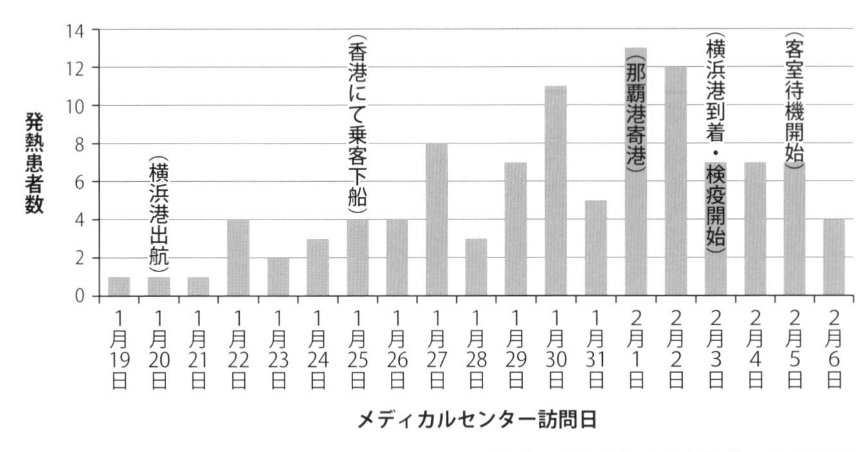

（出典：国立感染症研究所[8]に橋本追記）

図２：１月19日から２月６日におけるクルーズ船乗客乗員のメディカルセンター訪問日別発熱患者数（n＝79）

なお沖縄県では2月14日、19日にそれぞれ県内1例目、2例目となる新型コロナウイルス感染症患者の発生を公表しているが、2名とも2月1日にダイヤモンド・プリンセス号が那覇港に寄港した際に乗客を乗せて運転したタクシー運転手であった[10][11]。

臨船検疫、開始

日本のIHR通報の窓口は厚生労働省大臣官房厚生科学課である。香港政府からの連絡を受領した同課は省内および政府関係部署に情報共有を行った。翌3日には、政府は改めて横浜検疫所で検疫を実施する方針を固め、那覇検疫所からダイヤモンド・プリンセス号に対して仮検疫済証の失効と改めて横浜港で検疫を実施する旨を連絡した。

当初、厚生労働省や政府幹部の危機感は必ずしも強くなかった。NHKの報道[12]によると、ある政府関係者は「体調不良を訴えている人の検査が陰性であれば、船全体を陰性とみなせるようだ」「クルーズ船内の感染は、そこまで広がらないだろう」と語ったという。自見政務官は当初から既に感染症は蔓延しているだろうと予想していた[13)]が、そうした見方は少数だった。

大臣レクにおいては、①有症状者、②有症状者の濃厚接触者、③香港で下船した感染者の濃厚接触者のそれぞれに対してPCR検査を行う方針が決められた。なお方針決定にあたっては、その当時のPCR検査のキャパシティは全国でも一日に数百検体程度しかなく、横浜周辺で検査能力を持つのは横浜検疫所はじめ近隣の検疫所、横浜市や神奈川県など近隣都県市の衛生研究所、国立感染症研究所などに限られており、また同時期に発生する武漢チャーター便帰国者のための検査需要にも対応する必要があることや、検査資材の確保状況も考慮しなければならなかった。その先についてはPCR検査の結果をみて判断することとし、4日の衆議院予算委員会でも加藤大臣がその旨を答弁している。

乗客には3日19時20分ごろ、横浜港入港後に検疫官が乗船して乗客乗員に面談し健康診断することがアナウンスされた。その日も多くの乗客は船内で普通にイベントなどを楽しんでいた[14)]。

20時頃、ダイヤモンド・プリンセス号は横浜港沖の検疫錨地に到着。20時40分頃には横浜検疫所の所長以下検疫官らが海上保安庁の巡視艇から乗船し、臨船検疫を開始した。本省、羽田空港検疫所、関東信越厚生局、そして国立感染症研究所から応援を得て、30人規模での体制であった。

当時対応した検疫官によると、以下のように臨船検疫は行われた。

- 乗船前に、プリンセス・クルーズ社経由で質問票を全乗客乗員に配布
- 乗船後ただちに船内メディカルセンターを訪ね、過去の発熱者について情報収集。確認された有症状者に対してヒアリングを行い、濃厚接触者を特定
- 複数チームで手分けして無症状の全乗客の客室を回り、質問票の回収と検温を実施し、有症状者をさらに確認
- 無症状の全乗員に対し、サーモグラフィーで発熱の有無を確認。乗員の質問票は会社が回収して検疫官が確認

こうした作業により、前記①～③の該当者を特定し、彼らを対象に順次PCR検査を行うための検体採取を行った。ただ、客室があるデッキだけで8階、客室総数1,300室余という数の多さ、さらに乗客の半分程度が57か国や地域出身の外国人という言語の壁などに阻まれ、また有症状者の申し出も続いたため、夜を徹しての作業は時間を要した。採取した検体は随時検査機関に搬送された。当時、検体搬送を引き受ける民間事業者はなく、検疫官が自ら検疫所の車で搬送していた。検疫官による検体採取は6日まで続いた。検疫官らはマスクやフェイスシールド、ガウンなどのPPEを着用して業務にあたっていた。国立感染症研究所の医師の指導のもと、PPEを脱ぐ場所と事務スペースは分けられており、当初からゾーニングは行われていた。ただし、検疫所の作業着姿で乗客と並んでトイレにて用を足す姿も目撃されている。長時間の作業の中で、そうした瞬間もあったのであろう。

4日未明には、脳梗塞の疑いと船内で診断された男性およびその付き添い家族の方が、巡視艇と救急車により病院に搬送された。

検疫法とは

ここで、検疫およびその根拠となる検疫法について記しておく。検疫法は、その目的として「国内に常在しない感染症の病原体が船舶又は航空機を介して国内に侵入することを防止するとともに、船舶又は航空機に関してその他の感染症の予防に必要な措置を講ずること」と記している。検疫を英語では“quarantine”と呼ぶが、この語源は14世紀のイタリアの港湾において、ペスト対策として船を40日間港外に係留し、その間に疫病の発生を見た場合に退去させたことから、イタリア語の「40日 quarantina」が語源になったという[15)]。

検疫所は、検疫法に基づいて海外から日本に到着してきた航空機や船舶およびその乗客などに対して検疫を行う。海外からの帰途空港に到着した際、入国ゲートの前で「体調に異状がある方はこちらへ」といった掲示を見たことのある方は多いと思うが、これはブース検疫という方法である。また船舶に対しては、事前に無線で確認して入港を認める無線検疫が行われることが多い。これらは、世界で特に感染症の蔓延などの事態が起きていない場合の手法である。一方で、特定の感染症が発生している国から日本に到着した航空機や船舶については、航空機内に立ち入って健康確認を行う機内検疫や、船舶内に立ち入って健康確認を行う臨船検疫が行われることがある。2009年の新型インフルエンザ対応の際、航空機内にものものしいPPEに身を包んだ検疫官が立ち入って機内検疫を行っていた映像をご記憶の方もおられるのではないだろうか。今回のダイヤモンド・プリンセス号においても、臨船検疫を行うこととなった。

なお今回の検疫を担当した横浜検疫所は、日本で初めて明治11年に横浜と神戸の二港に設置された消毒所の一つが起源であり、当時は長浦消毒所と呼ばれていた。明治32年に当時22歳の野口英世が海港検疫医官補として勤務し、入港しようとした船舶亜米利加丸の乗員から検疫所初ともなるペスト患者を発見し隔離する成果を上げた歴史を持つ[16)]。

この時点におけるダイヤモンド・プリンセス号の検疫法上の状況としては、仮検疫済証または検疫済証の交付を受けていない（一度那覇検疫所が仮検疫済証を発行したが、IHR通報を受けて取り消された）ため、第四条（入港等の禁止）および第五条（交通等の制限）により、検疫区域以外に国内の港に入港することも、検疫所長の許可なく乗客乗員の上陸も荷物の陸揚もできない。また乗船した検疫官は、乗客乗員に対して質問（第十二条）、診察および検査（第十三条）が可能である。一方で2月3日時点では、検疫所長や検疫官には患者の隔離や停留を行う権限はない状態であった。2月14日に政令が改正され、新型コロナウイルス感染症が検疫法第二条三項の指定から検疫法第三十四条の指定に変更されたため、隔離や停留をさせることが可能になったが、ダイヤモンド・プリンセス号内では適用されることはなかった。5日から乗客は客室待機となるが、これは日本の法律に基づくものではなく、厚生労働省の要請を受けた船長の指示によるものである。

なお出入国管理法に関しては、那覇港に寄港した段階で入国手続きは完了していた。

結果判明、深夜のミーティング

2月3日から、衆議院では予算委員会において令和2年度予算案などに関する基本的質疑が始まった。この委員会では、新型コロナウイルス感染症対策に政府が万全の対策をとる必要があるとして、「通告のあるときを除き、厚生労働大臣の委員会からの離席を認める」「この三日間（3日～5日）は昼の理事会において、この感染症対策の進捗状況について、厚生労働省から報告を受けるものとする」「今回の対応は今後の前例としない」という三項目を野党が申し入れ、与野党で確認を行った[17)]。またそれを受け、与党側の質問の際は厚生労働大臣に対する質疑は行わず、橋本または稲津久副大臣に対して通告する対応もとられた。

例年2月から3月にかけて行われる衆議院および参議院の予算委員会の時期は、早朝から夕方までほぼ毎日、厚生労働大臣は国会を離れることができないのが通例のため、夕方以降しか省内で大臣レクを行うことができないことがほとんどであった。この国会側の対応は、厚生労働省としてはスムーズにさまざまな意思決定を行う上で、本当にありがたかった。国会の委員会は副大臣が対応し大臣は本省で対策指揮にあたる姿は、「前例にしない」ことではあるものの、将来の国会改革のモデルにもなり得るのではないかと思われる。

橋本は、3日のとかしきなおみ議員（自民）、石田祝稔議員（公明）の質疑への答弁に続き、4日には足立康史議員（維新）の質疑への対応があった。4日は朝から答弁レクを受け、11時から自民党総務会に出席して新型コロナウイルス感染症対策について説明を行い、来客を挟んで夕方に衆議院予算委員会において足立議員の質疑に対して答弁を行い、その後新橋駅前で「風疹の日」の街頭イベントに参加した。そして厚生労働省に戻り、新型コロナウイルス感染症対策の大臣レクに参加した。その晩にPCR検査の最初の結果が出ることがわかっていたので、大臣室にて加藤大臣、自見政務官、鈴木康裕医務技監らとともにテレビを見ながら待機していた。ニュースで、船内でまだイベントが行われていた様子を見て、検疫中なのに大丈夫かと心配したことをよく覚えている。

最初のPCR検査の結果が判明したのは22時頃だった。判明した31検体中10検体で陽性が検出されたというその報せを、大臣室にいる全員が驚きとともにただちに深刻に受け止めた。まだPCR検査や検体採取も続いており、この時点で船内での感染の広がりは少なくとも少数とはいえないことは明らかであった。乗客乗員について検疫を解除することはできないし、だとすればどのように検疫を終了して上陸させる道筋をつけるか、早急に検討しなければならない。当時、新型コロナウイルス感染症の潜伏期間は最大14日間といわれていた中で、それを想定した措置を講じる必要がある。陸上での検疫も考えられたが、第3便までの武漢チャーター便帰国者が既に政府の宿泊施設に滞在しており、さらに感染の可能性のある方3,000名規模の滞在先を急に探すことは困難と判断された。武漢チャーター便の帰国者の際も民間ホテルの協力は得られなかったのに、感染症がそれなりに蔓延してしまっていると思われるダイヤモンド・プリンセス号乗客乗員の宿泊に対して、民間ホテルが法的根拠もない協力要請に応じてもらえるとは考えられなかった。そこで当面は乗客乗員ともに船内で適切な感染制御の上で過ごしていただくしか選択肢はないものと考えられた。後に菅官房長官は「ホテルを探したのですが、全部断られ、一挙に3,700人を受け入れる施設を見つけることは不可能でしたから、まずは降ろさないで対応するしかなかった」とインタビューで述べている[18)]。なお、東京オリンピックの選手村を宿泊施設に転用するべきだったというご指摘も時折ある。しかしこの施設は東京都が主体となって行う市街地再開発事業の一環として民間事業者により整備されるものであり、そもそも政府が自由に利用できるものではない。

厚生労働省のみならず政府全体の協力のもとで取り組むべき規模の案件であることは明白であったため、その場で加藤大臣が菅長官に連絡をとり、ミーティングの設定を依頼した。直ちに折り返しがあり、5日午前0時から都内ホテルで行うことがセットされた。また、それまでは横浜検疫所長が現地の責任者であったが、本省の幹部を現地に送るべきだということになり、鈴木医務技監が正林督章環境省大臣官房審議官（当時厚生労働省から環境省に出向していたが、新型コロナウイルス感染症対策のため厚生労働省に呼び戻されていた）に電話をかけ、ただちに横浜に向かって対応にあたるよう指示をした。また船内での乗客乗員に対する注意事項などの検討や、搬送先医療機関や搬送手段となる救急車の確保のための神奈川県庁への連絡も、あわせて進められた。

深夜のミーティングには閣僚では菅長官、加藤大臣、赤羽一嘉国土交通大臣が参加。橋本、鈴木医務技監らも同席した。主に加藤大臣から検査の状況や今後の方針案について説明し、翌朝の10名の患者搬送の段取りなどが静かにてきぱきと確認された。午前2時ごろに散会となり、一度厚生労働省に戻って待機していた自見政務官らに内容を共有した上で、宿舎に戻ったのは明け方近くになっていた。実は2月5日は橋本の誕生日であったが全くそれどころではなく、46歳をこの状況で迎えることになったことについて、いささか複雑な思いを持ちながらの帰路だった。

感染制御開始

夜中に横浜に移動した正林審議官は、5日の早朝5時半に巡視艇でダイヤモンド・プリンセス号に乗船。船長と面会して状況を伝え、陽性者を医療機関に搬送すること、乗客の客室待機、乗客乗員に対して手指消毒やマスク着用を行うことなどを船内にアナウンスしてもらうよう依頼した。この時の様子について、後にアルマ船長は「明け方の正林のノックから全てが動き始めた」と語っていた。

6時32分に乗客は客室内で待機するようアナウンスが行われた。正林審議官は、10名の陽性者に対し順次客室を訪問して告知を行い、医療機関への搬送となることを伝えた。

橋本は衆議院予算委員会の答弁レクのため早朝から登庁。8時すぎには大臣レクに合流し、ダイヤモンド・プリンセス号に患者搬送のための巡視艇が横付けされているところをテレビ中継で見守っていた。またダイヤモンド・プリンセス号は昼から一旦出航しなければならなかったため、その間に採取された検体の回収や検体採取に必要なスワブ（綿棒）や医薬品などの搬入に海上保安庁のヘリを使う段取りなどの議論を大臣室では行っていた（天候のため実際には実施されなかった）。

8時20分には再び船内でアナウンスが行われ、乗客10名が新型コロナウイルス感染症のPCR検査で陽性であったこと、その方々は海上保安庁の船により搬送されたこと、検疫は14日間続く見通しであることが船内に告げられた。

8時42分から、加藤大臣が記者会見を行った。冒頭発表の全文を掲げておく。

2月3日に横浜港に到着したクルーズ船「ダイヤモンド・プリンセス」について、1月25日に香港で当該クルーズ船から下船した方が香港の病院で検査を受けたところ、新型コロナウイルスの感染が確認をされました。それを踏まえ2月1日より検疫感染症に指定されている新型コロナウイルスに関して、検疫法に基づく臨船検疫を行っているところであります。現在まだ検疫は継続中ではありますが、この船内において、発熱等の症状がある方、あるいはその濃厚接触者等の方トータル273名分について検体を採取し、今分析を行なっているところでありますが、そのうち31名分のウイルス検査の結果が判明し、10名の方から陽性反応があったところであります。このため、本日午前7時半頃から、検疫官の付き添いの下これらの方々に下船いただき、海上保安庁の協力も得て神奈川県内の医療機関へ搬送しているところでございます。この10名の

方は、患者として感染症法に基づく措置入院等の対象と考えております。新型コロナウイルスにおいて、ウイルスの有無を科学的に確認せずに疫学的な条件のみで判断する場合には、最大14日間の潜伏期間を想定した措置をとっているところであります。それを踏まえて今入国制限等も実施しているところであります。残る乗客乗員の皆様には、そうした考え方を取っているということを踏まえて、必要な期間引き続き船内に留まっていただきたいと考えております。同時に、船内においては感染を予防する行動を徹底していただいて、客室で待機いただく中で、引き続き、私どもとして臨船検疫を進めていきたいと思っております。乗員乗客の方々の健康状態等には十分配慮しそれを最優先にしつつ、また感染の拡大防止に向けて万全の対策を講じていきたいと考えております。私の方からは以上であります。

また厚生労働省はニュースリリース「横浜港に寄港したクルーズ船内で確認された新型コロナウイルス感染症について」も同時に発出し、31名中10名の陽性が確認したことを重ねて公表した。

船内では乗客や乗員に対する注意事項について、正林審議官から船長に伝えられ、アナウンスされた。乗客に対して伝えられた内容は主に、それぞれの客室に待機すること、マスク着用や手指洗浄を励行すること、散歩の際はマスク着用の上2メートル間隔を空けること、排便後流す時はトイレの蓋を閉じること、入浴は個別で石鹸を多めに使用することなどであった。同時に乗員に向けても、有症状者を見つけあるいは自分が症状を発生したら医師に申し出ること、乗客と接触などをした際は都度手洗いし必要に応じてアルコール消毒をすること、対応時はマスクをすることなどであった。また空気感染の懸念があったため、船側によって船内の循環型空調の停止や非常口の閉鎖により気流を遮断する措置も取られた。

昼からダイヤモンド・プリンセス号は沖合に出航した。正林審議官や検疫官らはそのまま船内に留まり、検体採取作業などは続行された。外洋に出てしまうと携帯電話は通じなくなり、新型コロナウイルス感染症対策推進本部と正林審議官の通話が困難な時間帯もあった。その頃は正林審議官の携帯電話が本省の対策推進本部と現地を繋ぐ唯一の連絡手段であったため、本省からはしばしば現地の様子の把握に難渋することとなった。

一方国会では、この日も衆議院予算委員会の基本的質疑が続いていた。陽性者の判明を受け、ダイヤモンド・プリンセス号に関する質問も相次いだ。まず冒頭に田畑裕明議員（自民）から今後の方針について問われ、安倍総理から加藤大臣会見と同様の答弁が行われた。また伊藤渉議員（公明）から船外での隔離について、大串博志議員（立国社）から船内の医療体制について、篠原豪議員（立国社）から近隣住民の方々の不安への対応について、小川淳也議員（立国社）から4日も船内でイベントなどを行っていたことについて、川内博議員（立国社）から船内のPCR検査の状況や方針、部屋割りなどについてそれぞれ質問があり、安倍総理、加藤大臣、橋本で手分けして答弁を行った。大串議員の質問に対する答弁では、橋本は「今お手持ちの日ごろ飲んでおられるお薬が足りなくなるというようなこともあろうと思います。そうしたことにつきまして、私どもの方でニーズを把握いたしまして対応するということで今考えております。」と答弁しており、後に問題となる乗客の医薬品不足について、この時点で既に意識はされていたことが伺える。

予算委員会散会後、18時すぎから新型コロナウイルス感染症対策本部（第5回）会合が開催され、加藤大臣、赤羽国土交通大臣、安倍総理大臣からダイヤモンド・プリンセス号の状況について発言があり、政府内での情報共有が行われた。安倍総理からは「乗客乗員の方々の健康状態に十分配慮しつつ、感染の拡大防止に向けて万全の対策を講じなくてはなりません。船内で必要となるマスク等の衛生用品や医薬品、生活物資の支給に加え、今後、医師や看護師等を派遣し、乗客・乗員の健康の確保に万全を期してください。関係省庁は引き続き緊密に連携し、冷静に対応を進めていってください。」という指示がされた[19]。

ダイヤモンド・プリンセス号は、未知の感染症への不安を抱える乗客乗員、そして正林審議官および検疫官らを乗せ、その晩も夜の外洋を静かに航行していた。

外洋への航行について

翌6日朝9時すこし前、ダイヤモンド・プリンセス号は横浜港に戻り、大黒ふ頭に着岸した。横浜港沖の検疫区域にて検疫を行うよりも、陸上からアクセスがしやすくなり支援側も便利になった。一方、3日に1度外洋に航行しなければならない状態は続き、以後8日朝～9日朝、11日夜～12日朝と計3回にわたり横浜港を離れた。この定期的な離岸については、後ほど橋本が乗船した際に直接船長に解説を求めたことがある。曰く「この船には水の浄化装置がついており、Black Water（トイレの排水など）は浄化することができる。しかしGray Water（生活排水など）は、タンクはついているが限界があり、満タンになる前に外洋に出て排水しなければならないから」とのことだった。この定期的な外洋航行があるため、支援側は拠点を船内に設けなければならず、また患者や検体の搬出や医薬品や物資などの搬入もタイミングを見計らう必要があり、支援側の頭痛の種であった。しかし法令上、港湾内で排水を行うことはできず、また排水から新型コロナウイルスが放出されるリスクも否定できず、定期的な離岸は、後にバージ船（水を貯蔵するタンクを設けたはしけ船）の確保ができるまで継続された。

この日までに新たに71検体のPCR検査の結果が判明し、うち10名が陽性であった。この方々は、大黒ふ頭から当日中に医療機関に救急搬送された。船内では引き続き陽性者の濃厚接触者や新規の発症者に対する検体採取を検疫官が行っていた。またこの日、防衛省町田一仁大臣官房審議官を長とする自衛隊の先遣チームが現地に到着している。自衛隊員の活動拠点・宿泊場所として活用するための船舶「はくおう」も横浜港に到着した。翌日から自衛隊の生活支援、医療支援、自衛隊救急車などによる搬送支援が開始される。

乗客は既に２週間のクルーズの旅を終えて戻ったところで、さらに２週間の客室待機となった。高齢で基礎疾患があり、日常的に服薬する必要のある乗客が多数いたため、医薬品の不足が課題になった。これに対応するため、まずメディカルセンターが乗客に対して常備薬の調査を行った。回収された調査票は船会社に送付された。また直接船内から厚生労働省コールセンターにも要望が寄せられたものについては、随時医薬品が搬入されている。

厚生労働省の大臣レクでは、そうした状況の報告とともに、船内に感染症発生のおそれがある別のクルーズ船ウエステルダム号が石垣島への寄港を求めているという情報が入った。「そりゃあ対応は無理だろう」と即座に対応は困難であるとの認識で一致した。その後政府は、出入国管理法に基づき同船の外国人の入国を拒否する対応をとり、ウエステルダム号は日本での上陸をあきらめて引き返した。のちにウエステルダム号はカンボジアに寄港することができたが、やはり乗客から新型コロナウイルス感染症の患者が確認されている。

またその後さらにもう一隻、クルーズ船スーパースターアクエリアス号が日本に接近してきているという報告もあり、いったい何隻クルーズ船の対応をしなければならないのか、正直ぞっとした覚えがある。同号も国土交通省から入港を見合わせるよう要請を受け、その後台湾に寄港した。ダイヤモンド・プリンセス号対応のその後をみても、政府や医療機関に他のクルーズ船を受け入れる余裕がなかったことは明らかであり、当時としてはやむを得ない対応だったと考える。しかし人道に関わる問題でもあり、どの国の責任で感染症が蔓延してしまったクルーズ船を受け入れ対応するのか、国際的なルール形成が今後求められるだろう。

厚生労働省は、ニュースリリース「横浜港に寄港したクルーズ船内で確認された新型コロナウイルス感染症について」を発出し、６日は71名の検査結果が判明しうち10名が陽性であったこと、累計で102名中20名が陽性であったことなどを公表した。

橋本はこの日も衆議院予算委員会対応があり、鬼木誠議員（自民）および森夏枝議員（維新）の質疑に対して答弁を行った。国会では粛々と質疑が続けられていた。この日の晩に、自分のブログに「新型コロナウイルス感染症の現状と見通しについて（2/6晩現在）」と題して記事を掲載している[20)]。この時点での日本の状況を確認する意味で、ここに再掲しておく。

2020年2月7日（金）

新型コロナウイルス感染症の現状と見通しについて（2/6晩現在）

新型コロナウイルスによる感染症について、連日報道が相次いでいます。当初は未知の感染症で詳細は不明でしたが、1月15日に日本で最初の症例が確定してから3週間が経過し、武漢市からのチャーター便3便により帰国された方々や、横浜港にいるクルーズ船「ダイヤモンド・プリンセス[1]」の方々など、日々さまざまな事態が積み重なっており、その数字を見ることができるようになってきました。

日々、厚生労働副大臣および厚生労働省対策本部の本部長代理として関連業務にあたっていますが、ちょっとこの辺りで、個人的な振り返りを兼ねて、現状を整理してみたいと思います。なお基本的に数字などは公表資料によりますが、コメントなどはあくまでも私見として記すものであり、政府ないし厚生労働省としての見解ではありません。ご留意ください。

[1] ブログでは「ダイヤモンドプリンセス」と記しているが、本書の表記にあわせた。

【国内における感染者の由来】

2月6日の時点で、日本国内では45名の感染者の方が確認されています。うち、湖北省滞在歴のある方は21名おられます（チャーター便帰国者も含みます）。この方々は湖北省で感染後、日本で発症された輸入症例と考えられます。また20名は、クルーズ船「ダイヤモンド・プリンセス」船内における検疫およびPCR検査により確認された方々で、船内での感染と考えられるため、この方々も輸入症例と考えられます。

残り4名の方々は、武漢市からのツアー客を乗せたバスの運転手さん（6例目）、その運転手さんと同行したバスガイドさん2名（8例目、13例目）、勤務先で中国からの観光客（300人／日程度）に接客する方（21例目）の4名であり、国内で感染したと思われますがいずれも中国から来られた方々との接点を持っておられます。

したがって現時点では、日本国内で新型コロナウイルスによる感染症の感染は限定的であり、不特定多数に感染が拡大しているような状況には至っていないものと考えています。

【感染者数の今後の見通し】

おそらく2月7日以降、いくつかの要因により感染者数は大きく増加します。理由は、（1）「ダイヤモンド・プリンセス」号の有症状者等に関する検査が、現在102名終了しています（うち陽性20名）が、まだ171名残っており、明日以降その結果が順次確定します。仮に同じ割合で陽性の方が含まれるとすると、あと30名は増加するかもしれません。(2) チャーター便の4便目が明日朝武漢から戻ります。これまでも1便あたり数例ずつ陽性の方が含まれていましたので、もう数例確認されるかもしれません。

ただ、以上は国内での感染ではありません（「ダイヤモンド・プリンセス」船内も厳密には国内ですが、一般の方々とは隔絶されています）ので、これらの理由による感染者増をもって国内での感染拡大を恐れる必要はありません。

国内で、湖北省とは全く滞在歴もなくそうした方と会うこともない感染者が確認され、その数が増加し始めると、国内での感染拡大が次のステップに移ったと考えるべきですが、まだそのような状況ではありません。

【感染した方々の状況】

まず、PCR検査で陽性となったものの無症状の方々が4名います（当初5名でしたが、1名が発熱・咽頭痛を発症しました）。この方々も入院はしていますが、症状はなく元気でおられます。ちなみに、一般的には無症状の方にPCR検査を行うことはありませんが、チャーター便で帰国された方々は特別に全員に検査を行ったため確認された例です。おそらく世界でもあまり報告されていないものと思います。

残り41名も全員入院しましたが、全快して退院された方が4名おられます。幸いにして、亡くなった方はおられません。

こちらに、実際に国立国際医療研究センターで新型コロナウイルスによる感染症の患者の治療にあたられた大曲医師による所感の記事がありますので、ご参考にしてください。

なおこちらのサイト（中国語ですがわかりやすい）によると、７日０時時点にて世界中で565名が亡くなっています。しかし分布をみると、中国の湖北省が549人とほぼ大半を占め、あと河南省、重慶市、四川省、北京市、上海市、黒竜江省、河北省、海南市、天津市、貴州省、香港、フィリピンで１～３名ずつという分布となっています。また致死率でみても、湖北省で2.8%ですが、湖北省を除く中国全土では0.2%と一桁違っており、同じウイルスでこれだけの偏りがあるのは湖北省のみ何か特殊な事情（例えば病院がパンクしており機能してないなど）があるのではないかと考えざるを得ません。

パンデミックとは、世界的にある感染症が蔓延する状態を指しますが、現時点でそのような状況ではありません。

【国内の今後について】

現時点では、検疫などによるスクリーニングがそれなりに功を奏しているものと考えています。しかし、潜伏期間がある以上、ウイルスの侵入を減らすことはできても、ゼロにすることは不可能です（可能性をゼロにしたければ鎖国するしかありませんが、現実的ではありません）。ただ、ウイルスの侵入機会を減らせば、それだけ国内での感染の拡大を遅らせる効果はあるものと考えます。

そして、感染拡大を遅らせ、時間を稼いでいるうちに、相談窓口や治療にあたる医療機関の準備を行い、実際に拡大が始まったら治療が必要な患者を的確に治療につなげられる体制を整えます。一時、武漢市の映像として、病院に大勢の患者が並んで待っていたりする様子がテレビで見られましたが、こうなってしまうと真に治療が必要な重篤な方に手が回らず本来救えたはずの方も救えなくなる結果になります。爆発的な感染拡大をさせず、感染拡大を緩やかにすることで、医療機関などの準備を整えることが可能となります。検疫による水際作戦の意味は、そこにあります。具体的には、全国各地域の保健所および医療機関において「帰国者・接触者相談センター」および「帰国者・接触者相談外来」を近日中に設ける準備を行っています。

なお仮に蔓延するような状態となれば、風邪程度の症状であれば、自宅で安静と経過観察とすることになるでしょう。7種類のコロナウイルスのうちSARS（重症急性呼吸器症候群）、MERS（中東呼吸器症候群）、および今回の新型コロナウイルスを除く4種類のコロナウイルスによる感染症は、実際には風邪に含まれてしまいます。

感染に対する最終防御ラインである一人ひとりの免疫力を高めることや、感染機会を減らすことも重要です。ちゃんとバランスのとれた食事をし、睡眠時間を確保し、生活リズムを保つこと（深夜までブログを書いたりしてはいけない）と、石鹸やアルコール消毒液による手洗いなどを行うことが効果的です。高齢者の方や、基礎疾患がある方は、人ごみを避けるなど、一層の留意が必要です。

また、自分が周囲の人の感染源となることを防ぐため、咳やくしゃみをする際の咳エチケット（マスクを使う、ハンカチなどで口元を覆う、（手のひらではなく）腕やひじで口元を覆う）も気にしていただけるとよいと思います。

「敵を知り己を知らば百戦危うからず」といいます。これは感染症との戦いにおいても通じる格言です。正しく対応するようにしましょう。もちろん私も、新型コロナウイルスによる感染症の拡大を防ぐため、職務に全力であたります。

船内では乗客の健康を維持する観点からアルマ船長と正林審議官が相談し、7日から乗客が一定の条件のもとデッキに出て散歩することができるようにした。具体的には、時間を決めて交代制とし、デッキに出られるのは最大500人までとする、部屋を出るときはマスク着用でお互いに2mの間隔をあけること、障害者以外は極力階段を利用しエレベーターを利用しないことなどが、相互の感染を防ぐための条件として決められ、その旨は以後毎日船内放送で呼びかけられた。

厚生労働省は7日にニュースリリース「横浜港に寄港したクルーズ船内で確認された新型コロナウイルス感染症について」を発出し、171名中41名の陽性が判明したこと、累計で273名中61名が陽性であったことを公表した。

陽性者の搬送

2月4日晩の31名中10名の陽性確認を受け、この10名の陽性者はダイヤモンド・プリンセス号から下船させ医療機関に搬送して入院させることとなった。この入院先の調整および搬送について、厚生労働省は神奈川県庁に協力を依頼した。神奈川県には第一種・第二種指定感染症指定医療機関が12施設あり、感染症病床が74床、別に結核病床が166床ある[21)]。しかし当然ながら別の疾患の患者の治療のためベッドは埋まっていることが多く、医療機関にとって急に陽性者を受け入れることは容易なことではない。4日に判明した10名の搬送先はその日の晩中になんとか確保したものの、さらに陽性者が発生することは容易に想像できる。神奈川県健康危機管理課の担当者は、神奈川DMAT（災害派遣医療チーム）の調整官だった阿南英明医師に連絡をした。「DMATを使うとか…無理ですよね」と[22)23)]。

DMATはその名の通り災害派遣医療チームであり、先に武漢チャーター便の宿泊施設における対応の実績はあるが、本来は災害であることが出動根拠となる。では感染症発生は「災害」にあたるのだろうか。防災行政は、政府においては内閣府防災担当が所管する行政分野として確立している。阪神・淡路大震災、東日本大震災などの災害のたびに見直しや充実が図られており、災害対策基本法、災害救助法、被災者生活再建支援法など様々な法令やそれに基づく制度がある。災害発生時には規模に応じてただちに各省庁がそれぞれの役割分担に応じて対応を行う準備もできている。橋本は平成30年豪雨災害において岡山県倉敷市真備地区の洪水に対応した経験などから、災害関係法制および対応体制、とくにDMATによる医療支援体制や避難者の生活支援体制が既に充実しており、これを船内の乗客乗員の支援に生かせるのではないかと考えていた。そのため自見政務官と共に当初からダイヤモンド・プリンセス号の支援も災害の枠組みで各省庁横断的に対応できないかと政府内で議論した。しかし災害対策基本法にいう災害[2]に感染症の蔓延は入っておらず、困難であるという見解に阻まれていた。しかし神奈川県では阿南医師の説得により、5日には黒岩祐治知事が「災害」を宣言し神奈川県DMATに派遣要請を行った。翌6日には10チームほどが県庁に参集し、防護服の着脱訓練ののち大黒ふ頭に向かい、陽性者搬送業務にあたった。この日は71名の結果が判明し、陽性は10名であった。

7日には、PCR検査の結果が一気に171名分判明し、うち陽性者は41名であった。これを聞いて対策本部の幹部は「『はあ？何この数字』って足がすくんだ」という。また体温計が客室に配布され検温するよう要請されているため、発熱した乗客乗員がメディカルセンターなどに電話をかけてくる。この日は乗員8名、乗客61名が新規発熱患者として記録された。この日の搬送実績は46名となっているが、おそらく船内メディカルセンター、神奈川DMAT、そしてこの日から着任した自衛隊医官や搬送支援の隊員、そして引き続き活動している検疫官らがフル回転した結果であろう。厚生労働省のこの日のニュースリリースでは、東京都、埼玉県、千葉県、神奈川県、静岡県の協力を得て患者を搬送することとされており、既に神奈川県外への搬送が始まっていることがわかる。

8日からは、厚生労働省の要請により厚生労働省DMATが船内での活動を開始した。隊員は全国の医療機関から募集された。また、発熱者があまりにも多く船内フロントの電話回線がパンクしてしまったため、発熱専用回線を臨時に設置し（配線工事を行う乗員も乗船していた）、DMATが電話相談または往診する体制となった。しかし往診のたびにPPEを装着し、広い船内を客室に向か

[2] 災害基本法第二条一では、災害とは「暴風、竜巻、豪雨、豪雪、洪水、崖崩れ、土石流、高潮、地震、津波、噴火、地滑りその他の異常な自然現象又は大規模な火事若しくは爆発その他その及ぼす被害の程度においてこれらに類する政令で定める原因により生ずる被害をいう」となっている。また災害対策基本法施行令では「放射性物質の大量の放出、多数の者の遭難を伴う船舶の沈没その他の大規模な事故」が政令で定める原因とされている。

い、診察を行い、検体採取まで行うと、1名あたり40分はかかってしまう。言葉の壁もあり、乗員に同行を求めて通訳をしてもらいつつ診療にあたることもあった。この頃については、DMAT報告書[24]では「圧倒的な対応資源の不足もあり、医師がコンタクトするのに、一定の時間を要する状態であった」としている。

薬がない！

客室待機当初から、乗客が持病のため日常的に服用している医薬品が不足することは想定されており、そのためまず船内メディカルセンターにおいて必要な医薬品について調査を行った。また、厚生労働省のコールセンターに直接電話をされたり、ご家族や大使館経由での要望をされたりもあり、それらは随時船内に届けられた。しかしなお、「くすりふそく」と書かれた旗がベランダに掲揚され報道される[25]など、医薬品不足の状況の解消には時間を要してしまった。

集められた調査票約2,000枚はプリンセス・クルーズ社を経由して厚生労働省が入手し、日本医薬品卸売業連合会などを通じて調達された。生命に影響する処方は1,500枚にのぼった。当初横浜検疫所に臨時の薬局が設けられたが、大黒ふ頭ターミナル2に移され、そこに医薬品が集積された。またダイヤモンド・プリンセス号船内にも薬剤スペースが設けられた。船内外において厚生労働省の薬系技官や自衛隊の薬剤官、日本薬剤師会や日本学校薬剤師会などから派遣された薬剤師、DMAT薬剤師らによって乗客ごとに調剤を行った。しかし、調査票の確認に困難があったこと、外国語の記入が多かったこと、外国人乗客の医薬品が日本になく代用品を探さなければならなかったこと、しかしミスは許されないためチェックを二重三重に行っていたこと、そして作業人数に比して圧倒的な調査票の枚数などが、作業を困難なものにした。さらに、団体から協力を呼びかけても、船内における作業については感染を恐れてなかなか応じていただけないということもあった。それでも８日以降は約 500 件／日程度の処方を行えるようになっている。

７日、橋本のもとに高橋千鶴子衆議院議員から乗客の方のインスリンが切れてしまっているという連絡があった。省内の担当に連絡をして８日朝の出航前に届くよう手配した。夜の船長放送ではアナウンスがない、どうなるのか？明日港を離れるので手に入らないまま出発するのは困る、と心配するメッセージもあったが、翌朝、薬が届く！というお礼のメールがあった由報せがあり、ほっとした。大臣レクでは、「○○人分の医薬品がダイヤモンド・プリンセス号に搬入済み」という報告が日々行われていた。しかし実際に必要な医薬品が本当に乗客の手元に届いているのか、本省の副大臣室からは判然としない日々が続き、もどかしい思いを感じていた。

東京での動き

７日も衆議院予算委員会は開催された。橋本は、笹川博義議員（自民）、黒岩宇洋議員（立国社）の質疑に対して答弁を行った。黒岩議員への答弁にて、厚生労働省の新型コロナウイルス感染症対策本部が 400 人体制（当時）であることを明かしている。その上で「答弁書にないことを申し上げれば、そういう体制でございます。議員の先生方からの日ごろのお問合せ等にも、我々もしっかりお答えをしてまいる所存ではありますが、ただ、もしかしたら日ごろよりレスポンスが悪いとかそういうことも、御迷惑をおかけすることもあるかもしれません。ちょっと御配慮いただければありがたいと思っております。」と答弁している。これは橋本のアドリブ答弁で、大勢の職員の不眠不休の働きぶりをわずかでも議員や国民に伝えたいという気持ちから出た言葉だった。

また同日、自見政務官は PCR 検査の処理能力を増やす検討のため、日本環境感染学会吉田理事長および東京慈恵会医科大学の栗原敏理事長に依頼して、同大学病院熱帯医学講座の嘉糠洋陸教授のもとに赴き、PCR 検査の詳細な手順を見学して、必要な物品や試薬、検査技師などの状況を確認した。大手民間検査会社にも連絡し、以降継続的にPCR検査拡大の具体的な調整を続けた。

8日は土曜日だったが、その時点での最新の知見を得るため橋本と自見政務官は新宿区戸山の国立感染症研究所を訪ね、愛知医科大学森島恒雄客員教授らが主催した新型コロナウイルス感染症への対応に関する拡大対策会議に参加し、新型コロナウイルス感染症臨床像や検査手法開発状況などについての発表を傍聴した。その際自見政務官は、国立感染症研究所のPCR検査体制が貧弱（臨床検査技師が数名で取り組んでいた）であることを知り、愕然とした。本来は研究機関であるため、大量に検査を行う検査所とは一線を画すべきではあるが、しかし当面は、PCR検査は国立感染症研究所に頼らざるを得ない。厚生労働省に戻り、ただちに増員すべき旨を健康局の担当者に伝えた。当初は一日あたり約200件の能力だったが、後に人員が増強され能力が拡充された[26)]。

この日、厚生労働省はニュースリリース「横浜港に寄港したクルーズ船内で確認された新型コロナウイルス感染症について（第4報）」を発出し、6名の検査結果が判明しうち3名が陽性であったこと、累計で279名中64名が陽性であったことを公表した。

9日夕方、武漢チャーター便帰国者の宿泊施設の支援を行っていた、日本環境感染症学会のDICT（災害時感染制御支援チーム）メンバーである長崎大学泉川公一教授らが自見大臣政務官室を来訪。自見政務官からダイヤモンド・プリンセス号の状況を説明した。泉川教授らはそのまま横浜港大黒ふ頭に向かい、乗船。船内で正林審議官より状況説明を受けた。また乗員やDMATの装着方法、クルーの食堂や衛生材の配布など船内環境の改善について助言をいただいた。

一方で橋本は、医薬品がなかなか届いていない状況を踏まえ、スマホアプリなどで簡単に注文ができるようなものが作れないかと考えた。2019年秋の台風災害の際、橋本および自見政務官でLINE株式会社の江口清貴さんおよび福島直央さんと相談して被災者向けAIチャットボットを稼働させた経緯があり、新型コロナウイルス感染症に関してもお二人に相談して、2月7日にはLINE公式アカウント「新型コロナウイルス感染症情報 厚生労働省」を開設していただいていた。その流れで、ダイヤモンド・プリンセス号船内の乗客の方々のコミュニケーションを改善し、医薬品の要望などができないかという観点で、9日に自見大臣政務官室で橋本、自見政務官、江口さん、福島さんらと打ち合わせをした。

すると、医薬品のみならず様々な船内コミュニケーションの改善に使えるのではないかという議論となり、外国のスマートフォンにはLINEアプリがインストールできないことや、設定を一括で行えることから、端末から用意して配布すべきではないかという話になった。その場でLINE社の紹介でソフトバンク株式会社に連絡を行い、翌日昼に改めて厚生労働省からソフトバンク社の宮川潤一副社長に依頼を行ったところ、無償で2,000台のiPhoneを提供いただけるという運びとなった。その結果、一室に一台ずつLINEアプリを導入したiPhoneが後に配布され、LINEアプリを通じた医師や看護師による医療相談や医薬品の相談、DPAT（災害派遣精神医療チーム）による相談などが提供されることとなる。この時のLINE社およびソフトバンク社の即断即決ぶりは、役所では見られない迅速なものであり、まことに目を見張るものだった。またオンラインで医療通訳を行う民間事業者の協力を得て、LINE上で多言語のサービスを実現した。

内閣官房および厚生労働省では、特に高齢者や妊婦などハイリスク者についてPCR検査を行った上で優先的に下船させ、初期の武漢チャーター便帰国者が退所した後の宿泊施設に移して健康観察期間を過ごすプロジェクトの検討が行われていた。その準備として、①有症状者、②有症状者の濃厚接触者、③香港での下船者との濃厚接触者、としていたPCR検査検体採取対象者に、80歳以上の方も追加することとされた。この指示は、後に検疫終了時の手順に繋がることとなる。

8日晩に橋本はダイヤモンド・プリンセス号の状況についてブログに整理し

て記している[27)]。センセーショナルな報道が相次いでいた中、自分の整理も兼ね、世の中の方々に少し落ち着いて全体の状況をご覧いただく意図で記したものだ。この時点では、後に自分がその中に入るとは思っていなかった。

2020年2月9日（日）

クルーズ船「ダイヤモンド・プリンセス号」について[3]

現在横浜港にいるクルーズ船ダイヤモンド・プリンセス号について、累次にわたり新型コロナウイルスによる感染者の発表が行われています。メディアの報道も相次いでおり、船内の様子が断片的に伝わっています。ここで、現時点（2月8日晩）の状況を整理しておきます。数字等は公表資料に基づき記しますが、コメントなどはあくまでも私見を記すものであり、政府ないし厚生労働省の見解ではありません。ご留意ください。

【ダイヤモンド・プリンセス号概要】

2月3日横浜港に到着したダイヤモンド・プリンセス号には、乗客2,666名および乗員1,045名、合計3,711名が乗船していました。ところが、香港において発症した患者1名がその前にこのクルーズ船に乗っていたという通知が香港からあったため、横浜港において再度臨船検疫を受けることとなり（その前の寄港地那覇において一度検疫を受けていました）、現在でも検疫官が乗船して臨船検疫中という状態です。この間は、検疫所長の許可がなければ乗客乗員ともに上陸することはできません。

[3] ブログでは「ダイヤモンドプリンセス号」だが、表記を統一した。

【検査結果について】

一般の検疫は、空港で行われているような体温の計測や症状の有無の確認など簡易なものです。ダイヤモンド・プリンセス号では、横浜港入港後2月3日から臨船検疫を開始しました。同時に、発熱等の症状のある方、その濃厚接触者、香港で下船して感染が確認された方の濃厚接触者に対してPCR検査を実施することとし、検体採取を行い、検疫所などの施設でPCR検査を行いました。現時点で乗客279名の結果が公表されており、64名が陽性となっています。

PCR検査には時間がかかり、また一度に検査できる量にも限界があるため、5日朝〜8日にかけて結果判明次第順次公表し、該当者を医療機関に搬送することとなりましたが、これらは3日〜4日にかけて採取した検体の結果が逐次公表されているだけですので、この結果をもって日々感染が拡大していると捉えるべきではありません。また、この数字だけ見ると感染率22.9%となりますが、あくまでも感染リスクが高いと考えられる上記条件の方のみを検査した結果ですので、3,711人全体が同様の割合で感染していると考えることも、誤りです。もっとも、それにしても多い数字であることに違いはありません。

なお、乗客は比較的高齢の方が多く、新型コロナウイルス感染症とはおそらく関係なく脳梗塞や心不全等の患者も発生しています。この方々は随時上陸させて救急搬送しています。なおその方々にもPCR検査を行っており、上記の結果の中に含まれています。

【船内について】

2月3日から検疫官が乗船して検疫にあたりましたが、その最初の結果（31名中10名陽性）が翌日判明しました。船内には新型コロナウイルスの感染がそれなりに拡大していることが明らかになったため、翌日に最初の10名を下船させた際に、厚生労働省の職員（医師）を乗船させ、船長のご協力をいただいて、船内の感染防止環境を整えさせました。なおこの職員は、本省から交代を打診しましたが、感染のリスクがあるから自分がここに居続けるとして船内に留まっています。ありがたいことです。

感染防止策として具体的には、乗客・乗員に対して極力個室で滞在すること、アルコール消毒や手洗い等を徹底すること、健康維持のためにデッキでの散歩は推奨するが、マスクをつけること等の注意事項を伝え、守っていただいています。なお2月4日まで船内でイベントなどが行われていたようですが、5日以降は中止しています。また同時に、Wi-Fi環境を整えて過ごしやすくすることなども行っています。

なお、高齢の乗客が多く乗船が長期化したため、手持ちのご持病の医薬品がなくなる方がおられます。必要な医薬品を記入いただき調達して船内にお届けしていますが、普通の病院をはるかに上回る規模であることもあり、必ずしもスムーズに届けられていない状況もあります。ITの活用などにより改善することを検討しています。

【今後について】

検疫済みとするためには、新型コロナウイルス感染症の感染者が船内にいない状態になる必要があります。このウイルスの潜伏期間は現在議論中ですが、同じコロナウイルスであるSARSの潜伏期間から長く見ても14日であろうと考えています。したがって、発病しないで14日過ぎれば新型コロナウイルス感染症に感染していないという証明となります。また、WHOは12.5日という数字も示していますので、その後にPCR検査のダブルチェックを行って陰性であれば感染していないとみなすこともできます（これは、チャーター便帰国者で現在宿舎にて過ごしていただいている方々も同様です）。

ただ、PCR検査のキャパシティや検体採取の手間上、12.5日経過したところで一度に約3,700人全員の検査をして上陸させるということは容易なことではなく、フル回転で行ったとしてもその作業だけでおそらく数日を要します。現在PCR検査を各検疫所や国立感染症研究所・地方衛生研究所等以外でも民間研究機関や大学病院などで行っていただけるように準備もしていますが、可能となるまであと1週間はかかるようです。そうしたことを考慮しつつ、潜伏期間終了後どのように上陸していただくかは、引き続き検討中です。

なお、今後も船内で発熱したり他の病気を発症したりする方が出た場合は、船内で医師の診察等の対応を行い、随時必要に応じてPCR検査を行ったり病院に搬送したりすることとなります。また既に感染が判明した方の濃厚接触者（同室の方です。本来は感染防止のため全員個室滞在にすべきですが、船内のためどうしようもありません）についても検査を行います。その結果などは都度公表します。なお、仮に今後発熱等を訴える方が新たに発生し、PCR検査を行って陽性だったとしても、感染防止対策がとられた2月5日以前に感染したものと考えてよいものと思います（ただし上記濃厚接触者を除く）。潜伏期間がありますから。

【所感】

まだ現在進行形のオペレーションであり、反省したり感想を述べたりするタイミングではないとは思います。厚生労働省対策本部としては、全力を挙げて取り組んでいます。ただ、やはりSARSや新型インフルエンザ、エボラ出血熱等の経験はあったとはいえ、正直ひとつの町規模の大型クルーズ船での新しい感染症の発生という事態は日本では全く未経験であり、手探りで日々加藤勝信厚労相がひとつひとつ決断しつつ業務を進める状況となっています（チャーター便の帰国も同様でしたが）。たとえば検疫所で行うべきPCR検査のキャパシティひとつとっても、今後はその規模までを想定しなければならないものと思います。

ダイヤモンド・プリンセス号の乗客・乗員の方々が船内に留まる不自由に耐えていただいていることで、国内に新型コロナウイルスが上陸拡大することを防いでいただいています。そのことを念頭におきながら、乗客・乗員の方々もさらなる感染拡大は防止しつつ、潜伏期間を船内とはいえできるだけ不自由のないよう過ごしていただき、終了後はすみやかに日常生活に戻っていただくまでがミッションだと思っています。引き続き全力で取り組みます。

大臣室の直談判

9日は日曜日だった。しかし新型コロナウイルス感染症の感染が拡大しつつある中、1月下旬以降は週末も夜まで大臣レクが続けられており、この日も様々な議論が行われた。また橋本と自見政務官と、それぞれの活動についても加藤大臣に報告した。22時も回っていただろうか、その日の議題が全て終了し、省幹部が退室して加藤大臣と3人になった際に、思い切って感じていることを口にしてみた。毎晩、大臣レクや班長会議でダイヤモンド・プリンセス号について報告を聞いているが、いまいち状況が判然としない。物資や医薬品の搬入などは「搬入した」と報告されるが、まだ実際に乗客乗員の手にわたっていないのではないか。新規発熱者もPCR検査の陽性者も持続的に発生しているが船内はどうなっているのか。本省からは正林審議官が派遣されているが、本当に1名だけで手は足りているのだろうか。外洋航行中は通話が途切れてしまうこともあった。政務三役の誰かが現地を見に行く必要があるのではないだろうか－。自見政務官も同意し、船内に行く覚悟があると大臣に伝えた。

加藤大臣は、うなずきながら話を聞いておられた。そして「預かる」と引き取られた。

この日、厚生労働省はニュースリリース「横浜港で検疫中のクルーズ船内で確認された新型コロナウイルス感染症について（第5報）」を発出し、57名の検査結果が判明しうち6名が陽性であったこと、累計で336名中70名が陽性であったことを発表した。

Ⅰ－3．乗船一週間目（2月10～16日）

いきなりの乗船

2月10日は、月曜日。橋本はこの日も衆議院予算委員会の答弁があり、早朝からそのためのレクを副大臣室で受けていた。すると、9時に大臣室に来るようにという連絡があった。昨晩クルーズ船について話はしたが、結論は出ていない。その話かもと思いつつ、時間に大臣室に足を運ぶ。加藤勝信大臣、稲津久副大臣、小島敏文大臣政務官、自見はなこ大臣政務官およびそれぞれの秘書官のみがその場にいる。

加藤大臣が口を開く。「おはようございます。忙しいところみなさん集まってもらってありがとうございます。新型コロナウイルス感染症対策には、政務全員であたってもらうことになっていますが、ここで、役割分担をしようと思います。まず、ダイヤモンド・プリンセス号について、政務が見てくることが大事だと思いますから、橋本副大臣と自見政務官は、横浜に行って対応にあたってください。衆議院予算委員会も開かれており国会の対応も大事なので、稲津副大臣と小島政務官は、国会の対応にあたってください。そういう分担で、よろしくお願いします」。誰も異存なく「わかりました」とうなずいたところで、散会となった。

副大臣室に戻り、占部亮副大臣秘書官らと大臣の指示について振り返る。そうとなれば現地に早く向かいたいが、今日既に当たっている国会答弁はしなければならないし、この日は夜に米国のハリス代理大使と面会の予定が入っている。また、現地の自治体には協力を求めなければならないので、黒岩祐治神奈川県知事および林文子横浜市長にも着任のご挨拶に行くべきであろう。そこで午後から横浜に向かい、大黒ふ頭には短時間滞在してまず様子を視察してから、県庁および市役所に向かい、夜には厚生労働省に戻ってくる日程とした。本格的に入るのは明日からだ。そうした段取りをつけて、再び大臣室に戻り加藤大臣に行動のイメージを打ち合わせた。大臣からは、きちんと状況を掴んでくることが大事であること、自見政務官と一日交代で横浜に行くくらいを想定していること、船内に入るかどうかは慎重に考えること、という指示をいただいた。実はこの時点では、加藤大臣も橋本も、まず大黒ふ頭の拠点まで進出して船内の情報収集をするというイメージを持っていた。

14時過ぎに衆議院予算委員会にて武部新議員（自民）の質疑に対する答弁を終え、占部秘書官とともに副大臣車で首都高を一路横浜に向かった。大黒IC直前で、ダイヤモンドモンド・プリンセス号の白い姿が見える。第一印象はとにかく「大きい！」だ。船内に3,700人がいるのだから一つの小さな村や町くらいの規模なのは頭ではわかっているが、やはり見ると聞くとは大違いだ。高速道路を降り、そのまま大黒ふ頭に入っていく。近づくにつれ、さらに大きさが際立つ。白いビルのような巨大な姿が眼前に現れる。そしてそのまま車は民間救急車や自衛隊、DMATなどの車両が駐車する大黒ふ頭を横切り、ターミナルの建物の脇を通過して舷側に接近し、停止した。そこには旧知の横浜検疫所の所長が待っていてくださった。そのまま、「どうぞ、こちらへ」と案内され、ダイヤモンド・プリンセス号中央のギャングウエイ（乗下船時に岸壁から船内に渡るために渡される一時的な通路）を渡って船内に入ろうとする。…あれ？ちょっと待って。船内に入っていいの？

立ち止まって「正林さんや皆さんはどちらにおられるんですか？」と尋ねてみる。「船内におられますので、お連れしますね」と所長は丁寧な返事。正直、怖い気持ちもないわけでもなかったが、ことここに至れば迷ってもしかたない。このまま入ろうと腹を括った。かくして、橋本は心の準備もそこそこに、いきなり新型コロナウイルス感染症が発生しているクルーズ船ダイヤモンド・プリンセス号船内に足を踏み入れた。本省と横浜検疫所の間で意思疎通の齟齬があったものと思われる。

結局そのままギャングウエイを渡り、船内に入る。乗船の手続きを行い、サージカルマスクを着け、アルコール消毒液による手指消毒を行った。

ホールの脇にメディカルセンターの扉を見つつ、階段を上がると5階のプラザ・デッキだ。広々した高級ホテルのようなアトリウムが広がる。橋本はこれまでクルーズ船に乗った経験がなく、本当にホテルのような素敵な佇まいに内心感嘆していた。所長の後をついて歩くとそのまま検疫所や厚生労働省の拠点が置かれているサボイ・ダイニング（以下サボイ）に入った。作業着姿の検疫官が立ち働き、薬剤師が薬剤の仕分け作業を行っている中を通り抜け、奥の拠点に向かった。奥では、正林審議官やDMAT事務局の近藤久禎次長らが丸机を囲んで打ち合わせをしていた。一週間以上にわたり、本省から派遣され船内で連絡業務などにあたっていた正林審議官の顔を見て、まず思わず「正林さん、元気？」と尋ねた。「元気です！」と快活に返事が返ってきて、本当にほっとした。船内でも変わらず普通に活動している様子であった。サボイは、本来はシックな内装のレストランだが、壁にはホワイトボードシートが張られマジックで様々な書き込みがあり、作業服姿の方々が立ち働き、まさに対策本部と化していた。

ほどなくして自見政務官も到着し、やはり所長に案内されてサボイに入ってきた。自見政務官は横田正明政務官秘書官とともにしばらく船内に残り状況の把握に努めるというので後を委ね、「明日から来ますのでよろしくお願いします」と挨拶をして橋本は船を後にした。ざっと15分ほどの船内滞在だった。

その足で、神奈川県庁に向かう。知事室にて黒岩祐治知事、首藤健治副知事らにお目にかかり、本日着任した旨をお伝えし、状況をお尋ねする。歴史の長い港町横浜を抱える県として、そこから便益を受けている以上、困難なことも率先して受け入れなければならない覚悟をしているというお話を伺い、感銘を受けた。また患者の搬送先確保などにご苦労された由お話をいただいた。県庁対策本部にも伺い、搬送調整に当たっておられる神奈川DMAT方々にもご挨拶を申し上げた。そして少し時間があったので、横浜検疫所に立ち寄っていた。

一方自見政務官は、船内のもう一つの拠点であるヴィヴァルディ・ダイニング（以下ヴィヴァルディ）やメディカルセンターにも行き、DMATやメディカルセンターの医師らにヒアリングを行っていた。また船内のフロントや、ターミナル2の船外DMAT、乗員にも話を聞いた。毎朝7：30および毎晩19：30から支援チームのリーダー会議を行っていること、支援チームは薬剤部、発熱診療班、検体採取班などに分かれて活動していること、しかしそれぞれに目の前の業務に追われていて混乱していること、トランシーバーの数が少なく、船内の往診などにあたるDMATチームと搬送先の調整にあたる大黒ふ頭ターミナルのDMATチームの意思疎通がうまくいっていないこと、などを把握した。自見政務官から橋本に、こうした内容は随時メッセンジャーで報告された。自見政務官は19時頃まで船内を見て回り、日本医師会役員とJMAT（日本医師会災害医療チーム）派遣について打ち合わせを行い、船を離れて上京した。

自見政務官からのメッセージを、橋本は横浜検疫所の所長室での待機中に受け取った。

え、トランシーバー？この部屋の隅に箱に入ったままいくつも重ねて置いてあるのはトランシーバーではないか？検疫所の次長に尋ねると、ダイヤモンド・プリンセス号に搬入したトランシーバーの残りだという。何故全部搬入しないのか意味が分からないと内心思いつつ、橋本は検疫所に残っているトランシーバーを、すぐにダイヤモンド・プリンセス号に搬入するよう次長に依頼した。自見政務官からはさらに50個必要という連絡があったため、総務省に連絡して追加搬入を依頼した。総務省からは、今晩中に搬入しますと心強い折り返しの連絡があった。なお総務省は、トランシーバー以外にも、Wi-Fiや携帯電話の基地局設置による船内通信環境の向上に、その後も協力いただいた。

その後橋本は横浜市役所を訪ね林文子横浜市長に面談して着任のあいさつを申し上げ、その日は横浜を離れ東京に戻った。厚生労働省に戻り、加藤大臣に一日の行動を報告するとまず「え、乗ったの？」と、驚いた様子で聞き返された。苦笑いしつつ「はい。船の外には何もなかったので」と答えるしかなかった。自見政務官も本省に戻り、常備薬が足りていないこと、新規発熱者がいること、乗員の感染教育の充実が必要なこと、PCR 検査の必要性、支援体制などについて加藤大臣に報告をした。

本省の新型コロナウイルス感染症対策推進本部にもダイヤモンド・プリンセス号の支援チームができており、佐原康之総括審議官と井上肇国立国際医療研究センター企画戦略局長が担当となっていたため、対策推進本部にて状況の共有などを行った。11 日以降、橋本、自見政務官の現地対策本部のメンバーとして参事官級以下数名の厚生労働省職員に同行してもらうこととなり、副大臣室にてその紹介も受けた。

この日、船内の乗客有志が要請書を 9 日に検疫官に手渡したことが報道されている。船内生活環境の早急な改善や医療専門家の派遣やニーズ対応の窓口の新たな設置、適切な情報提供などが要望されていた[28]。概ね、橋本や自見政務官が船内で目にしてきた状況も同様なものだった。しかし乗客の方々の切迫した声に、対策推進本部は敏感に反応しようという様子では必ずしもなかった。

晩、副大臣室にて橋本と自見政務官はそれぞれの秘書官も交え、改めて船内の状況を共有した。そもそも、本省で想像していることとダイヤモンド・プリンセス号で起こっている状況はかけ離れていた。現場の支援チームは皆頑張っているが、あまりの規模感のためにそれぞれの班がちょっとした連絡もお互いに行き届かず、めいめい目の前のことで手一杯になってしまっていることは明らかだった。しかし乗客の方々からは既にさまざまな改善を求める声が上がり始めている。改めて、これは容易ならぬ事態だと認識された。一日おきに交代で横浜に行って様子を見てくるなどという場合ではない。ふたりとも、翌日朝から当分の間ダイヤモンド・プリンセス号に張り付き、現場の調整や本省との連絡にあたることに決めた。

搬送者の優先順位づけの変更

この日、船内でも重要な意思決定が行われた。船内メディカルセンターに加えDMATや自衛隊による医療支援チームをもってしても、約3,700名が滞在する規模の大きさ、毎日60名程度の新規発熱者数、そして1名ごとのPPEの着用による往診や検体採取、さらに言葉の壁といった手間などを考慮すると、医療資源は極めて限定的といわざるを得なかった。DMAT活動報告書では「1名につき40分かかることもあり、診療の要請から応需まで1日以上かかる状態が続いた」とされている。

医療機関への搬送についても、搬送先医療機関の調整や本人への告知、配偶者や同室者への説明、荷造り、搬送を阻む長大な通路、狭くかつ満潮になると急勾配になるギャングウエイといった手順やハードルがある中で、1名につき1～3時間かかる作業であった。

検疫としては先述の通り、発症者や発症者の濃厚接触者の検体採取を行い、PCR検査で陽性の方を医療機関に搬送するという方針があった。しかし発症者は日々数十名生じる中で、結果が出るまで数日かかるPCR検査を待たずに即座に医療機関に搬送すべき重い症状の方も増えている。一方で、濃厚接触者などPCR検査で陽性とされた人でも、無症候や弱い症状しかなく搬送の必要性は低いと思われる方も存在するというのが、現場の感覚だった。また、発熱者へのPCR検査の陽性率が50％程度と高い状況でもあったため、有症状者の対応を優先する合理性もあった。

そこで正林審議官やDMAT近藤次長らが今後の方針について検討を行った。まず、医療支援チームの活動の優先順位を以下の通りとした。

1）乗客乗員への救命医療の提供

2）新型コロナウイルス感染症による死亡および関連死の軽減

3）新型コロナウイルス感染症の感染拡大防止

また、優先的に下船させる対象者のカテゴリーを、表1のとおり定義した。

表１：下船対象者のカテゴリー分け

カテゴリー	対象
Ⅰ－１	・緊急に医療を要する人
Ⅰ－２	・医師が船内生活困難と判断した人（有症状者） ✓　リスクが高い基礎疾患を有している ✓　コロナウイルス感染で重篤となるリスクが高い
Ⅱ	・健康被害のリスクが高い人（無症状者） ✓　80歳以上、基礎疾患あり、妊婦、小児等
Ⅲ	・新型コロナウイルスPCR検査陽性の人

（出典：DMAT事務局[24)]）

その上で、有症状者（カテゴリーⅠ）への診療、感染した際に死亡リスクが高い乗客及び基礎疾患の悪化が懸念される乗客（カテゴリーⅡ）のピックアップを優先し、PCR検査陽性者（カテゴリーⅢ）の優先順位を下げることとした。翌11日には離岸が予定されていたため、10日は熱発している乗客乗員や、処方内容から健康被害リスクの高い乗客乗員をリスト化して再評価を行い、緊急に医療を要するカテゴリーⅠにあたる患者を15名下船させ医療機関に搬送した。

またこの日は医薬品について厚生労働省の薬系技官や自衛隊の薬剤官に加え、DMATやさまざまな団体や企業からの薬剤師の応援もあり、検疫所での調剤は887名分、船内での調剤は561名分を数えた。調剤された医薬品は、順次乗員によって客室に届けられた。

厚生労働省は、ニュースリリース「横浜港で検疫中のクルーズ船内で確認された新型コロナウイルス感染症について（第6報）」を発出し、10日に103名の検査結果が判明しうち65名が陽性であったこと、累計で439名中135名が陽性であったことを公表した。

ジェンナーロ・アルマ船長とのミーティング

翌11日。朝6時30分頃に橋本は赤坂の衆議院宿舎を出発した。旅行ケースにはとりあえず一週間分ほどの下着やらシャツやらを詰め込み、しばらく横浜に張り付きになっても大丈夫な準備をした。前の晩も遅くまで厚生労働省にて新型コロナウイルス感染症対策推進本部のメンバーとあれこれ情報交換をしていたので、眠たい。気持ちの良い快晴の朝ではあるが、副大臣車が横浜に向かって走る中、徐々に緊張してくる。不安もよぎる。

しかしそこでふと、一つのイメージが浮かんだ。そうか、これから殿戦（しんがりいくさ）をしに行くのかと。状況からして、船内は既に新型コロナウイルス感染症が蔓延してしまっていると思われる。その中で、ウイルスの国内への上陸を阻みつつ、船内の3,711名の方々をいかに最小限の被害にとどめながら感染リスクがある船内から撤退させるかを考え、実行するのが自分のミッションなのだ。自分のミッションがイメージできれば、気持ちも自然と落ち着いてくるのを感じた。

大黒ICで高速を降りる。今日もやはり「大きいなー！」と思う。あの美しい船の中には、目に見えない、新種でまだ不明なことの多いウイルスが今なお猖獗しているのかもしれない。怖くないといったら嘘になる。しかし、3,711名の乗客乗員が不自由な船内で過ごしており、また既に支援チームの方々も中におられる。ならば行くしかないだろう。

そんなことを考えているうちに、副大臣車は大黒ふ頭に到着した。

まず船に入る前に、船外DMATや自衛隊の拠点となっているターミナル2に顔を出す。すると先に到着していた自見政務官から呼び止められ、ある医療法人から支援に来てくださった医師・看護師らのチームを紹介され、簡単に挨拶とお礼を申し上げた。また、自衛隊の拠点では防衛省・自衛隊の連絡所長として着任していた町田審議官と初めて会い、挨拶をした。

乗船すると、既にリーダー会議は始まっていた。DMAT近藤次長がてきぱき進行し、DMAT、薬剤部門、厚生労働省、メディカルセンターなどがそれぞれの活動予定の報告や、要望などを順次共有していく。メディカルセンターの船医から、万一船に火災などが発生した際のことを考慮して、支援チームにも避難経路やその周知などが必要という指摘もあった。橋本および自見政務官からも、簡単な自己紹介と今後船内で本省との連絡調整などにあたる旨を話した。またトランシーバーを搬入したこと、LINEをインストールしたiPhoneを搬入する予定であり、乗客との連絡のために使用することを考えていることを伝えた。

ミーティングが済み、メディカルセンターの船医に案内していただき、橋本、自見政務官およびその日視察のため乗船していた大坪寛子厚生労働省大臣官房審議官らと船内を見て回ることにした。まずは4階のメディカルセンターに行く。4床を有する病室や診察室、処置室などを持つ立派な診療所で、医師や看護師が対応してくださった。それから乗員用の通路を通ってキッチンへ向かう。約3,700人分の食事を賄うだけあってとても広く、銀色にぴかぴかに磨き上げられていた。また日ごろからの食中毒対策のため手洗いなどを促す掲示があった。

さらに乗員用の通路を歩き、乗員の居室に向かった。居室はいささか狭小で、感染対策上のリスクを感じるものであった。また乗員の発症時の対応などについても伺った。

一度サボイに戻り、同じ階のエレベーターホールを挟んだ反対側のヴィヴァルディの様子も確認した。こちらは船内DMATの発熱対応班や自衛隊医務官や検疫官らによる検体採取班ら、医療的な支援チームの拠点となっていた。

9時から、ジェンナーロ・アルマ船長に面会のため、自見政務官、正林審議官らとともに船長室に向かった。外から見ても大きな船だが、中を歩いてもとても広い。船長室にて、アルマ船長とお目にかかった。

アルマ船長は、常に制服に身を包みつつ背も高くがっしりした、まさにスマートな海の男といった頼もしい風情の男性だ。5日に乗船した正林審議官とは頻繁に打ち合わせを交わしており、既に友好的な関係を築いていた。まず橋本から簡単に自己紹介し「検疫として新型コロナウイルス感染症の日本への上陸を防ぎながら、この船の乗客乗員の方々に可能な限り不安なく過ごしていただき、ご帰宅いただくことがミッション。ぜひ協力をお願いしたい」と申し上げた。

船長からは、「この船は困難に直面している。日本政府の助力がなければこの難局を乗り切ることはできない。助けてほしい（"Please help us."）」と率直に言われた。その上で、12時に予定されている出航までに船に残る陽性者を下船させてほしい旨、強く要請された。外洋航行中に突然容態が悪化することが心配だし、精神的にも不安を招くという理由であった。また外洋航行をせずに済むように生活排水を貯めるバージ船を手配してほしいこと、毎日朝晩に支援のために乗船している医師や看護師、薬剤師などの人数を教えてほしいこと（この人数は船長の船内アナウンスで毎回紹介された）、客室の消毒業者を紹介してほしいことなどを早速依頼された（消毒業者は、まず環境省経由で数社打診したものの断られ続け、13日になってやっと引き受け先が見つかった）。また朝のリーダー会議にて指摘された、支援チームの防災対策について船長に検討を依頼した。そして、再び出航前にミーティングをすることを約束し、船長室を辞した。

急遽の陽性者下船オペレーション

サボイに戻り、橋本、自見政務官、正林審議官らで船長の要請について検討した。搬送の優先順位については前日にカテゴリー分けして陽性者の順位を落としたばかりだ。また前日の陽性者の判明も多かったため、11日朝の時点では60名以上の陽性者が船内に残っていた。しかし、船長からの強い要請であるため、実行する必要がある。船内のDMATはカテゴリーⅠの有症状者の対応や搬送で既に手一杯である。そこで、乗船したばかりの厚生労働省の支援チームが担当して実施することとした。

ただ、ひとりずつ搬送先調整をしてから下船させる従来の手順ではどう考えても出航までに60名の調整は間に合わない。そこで、まずターミナルに待機場所を設けて陽性者を下船させ、その上で順次搬送調整を行って搬送する手順とした。しかし既に10時を過ぎており、12時出航までに完了させるのは困難と思われたため、正林審議官から船長に連絡をとり、出航を遅らせるよう依頼した。

まず、待機場所を設けなければならない。大黒ふ頭のダイヤモンド・プリンセス号接岸地点付近にはターミナル1、ターミナル2、待合棟の三つの施設がある。当時は、自衛隊と船外DMAT、横浜検疫所がターミナル2を拠点として既に使用していた。そこでまず、空いている待合棟かターミナル1に待機スペースを作ってはどうかと考え作業を始めたが、港湾管理者である横浜市港湾局から、後の消毒などの関係上ターミナル1の使用は控えてほしいとの要請があった。そこで防衛省町田審議官や船外DMAT、横浜市港湾局の方々に集まっていただき状況を説明し、ターミナル2のそれぞれの拠点を移して陽性者待機スペースを設けることにご同意をいただいた。自衛隊拠点は待合棟に移動してもらい、船外DMATはターミナル2内で場所を移動してもらうこととした。

場所が決まれば、設営である。ターミナル2の端で、専用の出入り口が確保できる部分をパーテーションで区切る。また一般スペース側にはさらに5mほど距離をあけてベルトパーテーションで立ち入りを制限することとした。また待機スペースには間隔をあけてパイプ椅子を並べ、また出入口にはアルコール消毒液や使い捨てゴム手袋を準備した。作業には、橋本以下厚生労働省職員や検疫所職員、横浜市港湾局の方々などがあたった。なお大黒ふ頭の外からマスコミのテレビカメラが撮影している様子があったため、陽性者の方々のプライバシー保護の観点から、ギャングウエイを降りた地点から待機スペースの入り口までの間はバスでピストン搬送することとした。待機スペース完成の後、橋本、占部秘書官および厚生労働省職員一名を地上担当として残し、残りの人員は船内の対応に当たらせた。待機スペースは陽性者およびPPEを着用した職員のみが立ち入ることとし、橋本と占部秘書官はターミナル外で受け入れにあたることとした。船内とはトランシーバーで連絡を取り合った。

自見政務官以下の船内チームは、陽性者の告知および搬送準備にあたった。PPE着用の上、それぞれの方の客室に行き、ご本人に対して陽性であることを告知し、すぐ移動するための荷造りを依頼し、荷造りのための一定時間を置いたうえで船外への移動、という手順を踏む必要がある。これを広大な船内で手分けして行ったが、作業は難航を極めた。そもそも新型コロナウイルス感染症という未知の病気への感染の告知がご本人にとっても同行の家族にとってもショックなことであることに加え、下船時点では搬送入院先の医療機関も未確定であり、どこに搬送されるか伝えることもできない。またお子さんが陽性となり同行していた親と異国の地で引き離すこととなったり、高齢のご夫妻を引き離さなければならないこととなったりするため、泣き崩れたり、泣き叫んだりされる方もおられた。下船を拒否され、時間をかけて説得してやっと応じていただけた方もいた。無症状とはいえ高齢の方が多く、移動には車いすの用意も必要だった。ご本人やご家族が最も心細く辛かったであろうことは当然だが、これを行う厚生労働省職員らにも厳しい仕事だった。

バスを受け入れる待機スペース側でも、ターミナルに到着したバス内でご自分の大きなスーツケース（二週間の船旅の荷物なので、大きなスーツケースを2～3個持っておられる方が多かった。通常時は乗員が積み下ろしを行い、自宅までは宅急便などを利用すればよいので、自分で運ぶことはあまりないものと思われる）を運べずに難渋する方もおられ、橋本もスーツケースを運んだ。夕方までかかってバスが往復し、陽性者の方を待機スペースに移動していただくことができた。

その合間にも、有症者をDMATが船内から直接民間救急車で医療機関に搬送する作業も行われた。既に神奈川県内の感染症病床が埋まりつつあったため船外DMATや神奈川県庁対策本部が行う搬送先調整も困難さを増しており、県外への搬送も発生していた。県外の搬送先確保には、厚生労働省医政局があたった。待機スペースから医療機関に向けた陽性者の出発は、夜まで続いた。

夕方の船長ミーティングでは、その時点で判明している陽性者のターミナルへの下船が完了したことを伝えたところ、アルマ船長は少しほっとした様子であった。一方、精神面で懸念のある乗客がおりその方々を下船させてほしいこと、検体採取の状況、乗員の発熱者が勤務から外れて人手不足のため防衛省に応援を依頼していることなどの話があった。サボイに戻り支援チームのリーダー会議において、船長から名前を挙げられた乗客についてはDPATに対応を依頼することとしたこと、下船時にトラブルになった方があったことなどが共有された。この日自衛隊医官は80歳以上の乗客の方の検体採取を行った。またカテゴリーⅠの方や陽性者に同行したご家族も含めて70名以上を一気に下船させたことが報告された。薬剤チームも集中的に医薬品の搬入及びチェック作業を行い、翌12日には要望書の処方をほぼ完了させた。

なおこの日の夕方、日本環境感染学会DICT（災害時感染制御支援チーム）として岩手医科大学の櫻井滋教授らが乗船し活動を開始した。櫻井教授は、この日の午前中は第一回岩手県新型コロナウイルス感染症対策専門委員会に出席し委員長に指名されたところであったが、クルーズ船にDICTを派遣されたいとの連絡を長崎大学の泉川教授から受け、とるものもとりあえず東京行きの新幹線に乗って駆けつけてくださった。東京医療保健大学の菅原えりさ教授らと合流の上乗船し、そのまま外洋航行中も船内に留まり、アセスメントして下さることとなった。その活動については巻末に「雑感：クルーズ船とDICT」として寄稿いただいたので参照されたい。

18時半にダイヤモンド・プリンセス号は大黒ふ頭を離岸し、回頭して横浜港から出港していった。夕闇の中、客室の明かりを点けて進むクルーズ船はきらびやかで美しかった。橋本らはこれを大黒ふ頭から見送った。横浜駐在初日から、全身綿のように疲れ切っていた。

晩、横浜港到着直後に乗船して検疫業務にあたった検疫官1名のPCR検査結果が陽性であることが判明した。翌朝、船内のリーダー会議で共有されるとともに、厚生労働省からもニュースリリースの形で公表された。このことは船内外に改めて感染のリスクを確認させるものだった。

船長のいら立ち

12日朝。橋本、自見政務官らは再び大黒ふ頭に接岸したダイヤモンド・プリンセス号に乗船する。9時着岸予定であったので10分前に大黒ふ頭に到着したら、既に接岸済みであった。防衛省町田審議官らと合流し、9時からの船長ミーティングに向かう。

アルマ船長は、ややいら立っているように見えた。彼は言った。「これは緊急事態だ。人手が必要だ（“I need more man power.”）。ぜひ乗員も日本側もチームとして取り組んでほしい」。乗員にも発熱者が発生しており、その同室者も個室管理になるため70名近くが待機中という状況下であり、船の機能維持のためその代替要員が必要なため、ギャングウエイの警備、通路の監視、公共空間の消毒、荷物の搬入、食事の配膳支援などを依頼したいことを要望された。客室の消毒業者の紹介についても催促をされた。

また、毎日朝晩、乗船している医師や看護師、薬剤師など支援スタッフの人数、新規発熱患者数（乗客・乗員別）、PCR検査結果判明数、陽性数（乗客・乗員別）、搬送件数（カテゴリー別、乗客・乗員別）、検体採取数、搬出数、処理中の数、判明数及び陽性／陰性の結果（乗客・乗員別）などについて、報告するよう求められた。

陽性者については、引き続き速やかに下船させることを依頼された。もし状況により難しいならば、せめて本人への告知を先にしないでほしいとのことであった。

同席したメディカルセンターの医師からは、日本における濃厚接触者の考え方や隔離の対象について質問をされた。また有症状者の検体採取について尋ねられたが、手が回っていないと回答せざるを得なかった。

厚生労働省側からは、LINEをインストールしたiPhoneの機能などについて説明し、配布の許可を求めた。船長は「会社に相談したい」と返事したのち、“I like it.”と付け加えた。

支援チームの避難訓練については、毎日8時30分と14時に5分～10分程度行うので、可能なメンバーが参加することとなった。翌21時に再びミーティングをすることを約して、船長室を辞した。

下船させるべきではないか

船長からの人手の要望については、厚生労働省と防衛省で分担してそれぞれの本省と相談することとした。ただ少なくとも、乗客のみならず乗員にも一定の感染拡大があり既に機能の維持に影響を及ぼすレベルとなっていることは、深刻に受け止めなければならなかった。

橋本、自見政務官、正林審議官らで、一晩を船内で過ごしラウンドして状況を確認した櫻井教授らの話を伺った。櫻井教授は、特に乗員の状況を懸念していた。発症者の居室を地図に記入してみると、集中しておらず散らばっていた。またレストランなど一部業務の担当に感染者が多かった。このことからは、居室において空気を通じて感染が拡大しているのではなく、業務や食事などの際に乗員間での感染が起こっていたことが示唆された。乗員はほぼ機能不全となっているといえる状態であろうとの認識が共有された。

乗員の感染拡大を防ぐため、乗員の食事についてはバイキング形式をやめること、距離をとり正面に向き合って座ることを避けて食事をすること、アルコール消毒液などを準備して配布すべきことなどが必要であるとされ、そのことは船側にも伝えて実行してもらうこととした。乗客乗員の全員を船内にとどめ、乗客のサーブを乗員に行わせる現時点の方針そのものも、いずれ持続困難になる可能性も考えざるを得なかった。全員を一度に下船させることができればベストだが、それが難しくても乗客だけを下船させる、あるいは乗員だけを下船させる、いずれにしても配食などのサービスは自衛隊か誰か人手を投入して賄うといった方策を、一刻も早く検討して実行するべきと思った。

昼過ぎに長崎大学の泉川教授も乗船しDICTに合流された。DMATなど医療支援チームに対してもPPEのつけ方や手指衛生の仕方、検体採取の手順、PCR陽性者専用エレベーターを設けることなどの指導をしていただいた。

橋本は加藤大臣に電話をかけた。船内では発症者が続発しており診療に十分手が回っていないこと、搬送にも支障が生じていること、そして感染制御策は講じるものの乗員間での感染拡大の懸念も拭えず、現在の状態はすみやかに解消すべきであること。そして困難は承知の上ではあるが早急に宿泊施設を確保して乗客乗員の下船を進めるべきことを要望した。大臣からは、まず船の機能維持に最低限必要な人数は何人か確認をするよう指示をされた。橋本は15時ごろ船長に面談し、その時点での判断を共有し、大臣からの問い合わせについて検討するよう依頼した。船長からは、自衛隊の艦船に乗員を移すことなどは考えられないか？とも問われた。

またDICTの櫻井教授らは夕方に上京し、厚生労働省にて佐原総括審議官らに状況を報告し、乗員を下船させることをご提言いただいた。

後に、専門家の提言を厚生労働省が無視をしたという趣旨の報道が見られたが、少なくとも現場の認識は専門家と同様であり、その旨は本省に累次にわたり意見具申していた。ただ、武漢チャーター便オペレーションの際にも記したように、当時政府機関の宿泊施設は既に使われており、民間宿泊施設で、既にメディアを騒がせていたダイヤモンド・プリンセス号の乗客乗員を1,000人単位で受け入れてくれる施設は、なかった。自見政務官は船内から伝手をたどってあるホテルチェーンに依頼したが、やはり断られた。当然ながら、協力を断られてしまえば強制的に民間施設を収用する根拠法令など日本政府にはない。要するに、提言はあっても実現する手段がなかったのだ。なお、一般に新型コロナウイルス感染症の陽性者の宿泊療養が開始されるのは、緊急事態宣言が出され観光や出張の宿泊客が途絶えた4月以降のことである。それでも各都道府県は宿泊療養施設の確保に苦労した。

また櫻井教授らも、提言を即座には実行できないことは理解されており、その後も引き続き支援チームのマニュアルの校閲を行う、新たに乗船する支援チームメンバーの感染対策を乗船前に支援するといった活動を続けて下さっている。

JMATが来ない

このころ自衛隊医官は、高齢者など船内待機のリスクの高い方々（カテゴリーⅡ）のPCR検体採取に取り組んでいた。そのため船内の診療体制は、船内メディカルセンターおよびDMATが主に担っていたが、未だ発熱者数は1日に30～40名であった中、その対応で手一杯であった。この数も、内線電話がパンクする中でやっと繋がった数であり、部屋で助けを求められずにいる乗客がいる可能性も考えられた。可能であれば客室ごとに訪問して問診する健康スクリーニングを行いたかったが、そのためには医師の増援が必要である。自見政務官は、日本医師会のJMATに頼ることを当初から検討しており、既に10日に日本医師会の役員と打ち合わせを済ませ13日から派遣開始予定となっていた。ところがこの日、それが取りやめになったことが判明した。JMATが加入している保険について、二類感染症は補償対象としているのに、二類感染症並びの指定感染症である新型コロナウイルス感染症は対象としないと保険会社が見解を示したためであった。JMATの中核となる診療所の医師たちは個人事業主であり、感染のリスクがある支援のため、万一の際に適切な補償がなければ行動できないことは自明のことである。

そこで自見政務官は金融庁に連絡をとり、指定感染症や二類感染症の法解釈や検疫上の整理などを丁寧に保険会社と検討してもらうよう依頼した。その結果、補償の対象となることとなり、予定から1日遅れて14日からJMATは船内に入ることとなった。このように一つひとつ発生する課題を解決しながら支援を受けいれていった。

この日の朝、iPhone2,000台が大黒ふ頭のターミナル2に搬入され、LINE社と厚生労働省職員が数十人がかりの人海戦術で、SIMカードの挿入やLINEアプリのダウンロードや設定などの作業を行った。当初作業場所として設定された大黒ふ頭ターミナル内の電波環境が良くなかったため、別の場所に運搬して作業を行うなどの対応も行われた。またLINE社の江口さん、福島さんが乗船し、船内の薬剤チームやDPATと調整を行った。その結果、配布端末のLINEアプリを通じて薬に関する要望の受付や心のケア相談が配布後に行えるようになる。

夜のリーダー会議では、搬送者の搬出の際に船内と船外のチームでミスコミュニケーションがあり滞りがあったこと、薬剤チームから要望された医薬品の配布がすべて終了したこと、DPATから必要な方への対応を行ったことなどが報告された。再乗船したDICTの泉川教授から、感染対策の強化について提言があった。乗員の環境を整えるべきこと、基本は接触感染対策と飛沫感染対策であり、手指消毒のタイミングを考えるべきこと、サポイなどの支援チーム拠点事務スペースの机や椅子などについて清拭すべきこと、乗員200人ほどに指導したことなどの発言があった。正林審議官から、この日陽性者の搬送先が長野県の病院にまで至ったことが触れられ、DMAT派遣元の病院に一人でも多く受け入れてもらえるよう声をかけてほしいと依頼した。この日も60名を超える新規発熱者が確認され、検体採取は75歳以上の窓のない部屋の方や、有症状の方などに行われたことが報告された。

船長ミーティングにおいては、朝の会議における船長の要望に対し、防衛省本省において検討を行った結果、物資搬入および共用部分の消毒業務のみ自衛隊員を当たらせる旨返答があった。また部屋の消毒については2団体と相談中である旨橋本から報告した。自見政務官から、翌日からiPhoneが配布され薬の受付などが始まる見通しの旨船長に伝えた。iPhoneの配布について、大黒ふ頭から船への搬入については自衛隊が行い、船内での客室への配布については乗員が行うことがその場で確認された。また感染防止の観点から、ギャングウエイをもう1ルート大黒ふ頭に出せないか相談したが、人手不足を理由に困難と返事された。支援チームが乗員に対して診察を行う際には事前にメディカルセンターに伝えるよう依頼があった。また新しい宿泊施設の確保について船長から質問があり、橋本からまだ具体化しない旨返答した。

続けて船長が船会社に電話をかけ、スピーカー機能により会社の医師らと会話を行った。会社の方からは、検体採取数と結果判明のズレについての確認や、流行状況のグラフ（エピカーブ）などについて提供してほしいと要請された。また会社から厚生労働省本省と連絡する際のコンタクトポイントの指名を求められ、調整して翌日回答することとした。その他退院者の扱いなどについても質問をされ、わかる範囲で回答した。この電話での打ち合わせも含め、この日晩の船長ミーティングは23時頃までかかった。

その後、本省への確認事項などが多岐にわたったため、サボイに戻り厚生労働省メンバーでチェックの打ち合わせをした。電話にて、本省で対応にあたる井上国立国際医療研究センター局長も交えて意見交換をしたが、この話も長引き結局この日の退船は午前0時を過ぎてからとなった。この頃は徐々に船内の厳しい状況が把握され一つひとつの課題の解決に追われながら、まだその先の方針を立てることができず、最も精神的には辛かった時期だったように思う。

厚生労働省は、ニュースリリース「横浜港で検疫中のクルーズ船内で確認された新型コロナウイルス感染症について（第7報）」を発出し、12日に53名のPCR検査結果が判明しうち39名が陽性であったこと、累計で492名中174名の陽性が確認されたことを公表した。

ダイヤモンド・プリンセス号での生活

ここでダイヤモンド・プリンセス号対応のため横浜に常駐になってからの日常を整理して記しておく。橋本は、横浜市内のビジネスホテルに占部秘書官とともに宿泊していた。厚生労働省および検疫所の職員はめいめいに宿泊先を確保していたため、別のホテルから通っていた者もいた。また正林審議官は5日の乗船以来、船内に滞在し続けていた。

朝起きて身支度を整えたら、コンビニでサンドイッチや飲み物といった朝食を買い、7時過ぎに副大臣車で出発。なお副大臣車の山賀雅春運転手も近くのビジネスホテルに宿泊していた。横浜ベイブリッジを渡って大黒ふ頭に向かいつつ、車内で朝食を食べる。大黒ふ頭に到着してそのまま乗船、毎日朝7時半からサボイにて行われるリーダー会議に参加して、各支援チームのその日の予定などを共有する。リーダー会議の司会はDMATの近藤次長が毎回務めた。その後、厚生労働省および検疫所の職員で確認の打ち合わせを行っていた。8時45分くらいからサボイを出発して、船長ミーティングのため船長室に向かう。

船長ミーティングは、日本側は橋本・自見の両政務および占部・横田両秘書官、正林・大坪両審議官他厚生労働省スタッフおよび検疫所の幹部、そして防衛省の町田審議官および自衛隊支援チーム幹部など合計10名近くが参加、船側はジェンナーロ・アルマ船長および通訳の方が参加し、日本語と英語を交えてコミュニケーションが行われた。雰囲気は概ね友好的でありながらもお互いに要望などははっきり言い、どうすれば状況が改善できるか率直に議論した。日本側、船側ともにアルコール消毒液を肩掛けポシェットに入れて持ち歩くようになってからは、ミーティング開始時および終了時にそれぞれアルコール消毒液を手指にすりこんで消毒をし、手をパタパタ振って乾燥させてからガッチリ握手をするのが日々のルーティンとなっていた。

支援スタッフの昼食および夕食は、船側から供給された。後に乗客の方々のブログやTwitterなどで確認した限りでは、乗客の方々とおそらく同じメニューをサボイに提供していただいていたものと思われる。サボイの半分程度が飲食スペースとされており、昼や夕方にはDMATや自衛隊医官の方々とともに、厚生労働省や検疫スタッフもめいめいに食事を摂っていた。なお毎食コーヒーやティーバッグおよびデザートのケーキも、乗客のメニュー同様についていた。船内は緊張感を途切れさせることのできない状況だけに、デザートも含め、食事は支援チームメンバー皆がささやかにホッとする時間だったと思う。

客室待機となっている乗客の方々とは、橋本はほとんど直接接する機会はなかった。11日に無症状陽性者の方々の搬送の際に支援をした際と、手違いがあり客室に謝罪に伺った際くらいである。後に公表された乗客の方による記録[29)]などを読み、改めて、ご苦労をおかけしてしまったことを思い返すばかりである。

その船内で、乗客乗員そして私たち支援チームも含めすべての人を励ましていたのは、アルマ船長による随時のアナウンスであっただろう。さまざまな案内や情報に加え、11日の建国記念日や14日のバレンタインデーなどにはそれぞれの日にちなんだ一言を付け加え、そして「この厳しい航海も、残りあと○日となりました。皆で乗り切りましょう」といった励ましを行うことを忘れなかった。まず船長がイタリアなまりの英語で話し、その後で同じ内容を通訳の方が日本語で話すのだが、その声もとても聴き心地が良く、ゆっくりと落ち着きのあるアナウンスだった。船長のアナウンスは、乗客が全員下船し乗員だけになってからも続けられた。こうした随時のアナウンスをはじめ、アルマ船長のリーダーシップがなければ、船内はより厳しい事態に立ち至ることもあり得たのではないかと思われる。

19時半からサボイにて夕方のリーダー会議、そして21時からアルマ船長とのミーティングに臨み、その日にあった出来事の共有や意見交換を行った。出席者は概ね朝のものと同様である。そしてその後も必要に応じて厚生労働省・検疫所のメンバーで確認の打ち合わせを行ったり、残りの作業を行ったりした。一日の作業を終えて下船するのは、早い日で23時ごろ、遅い日では午前にわたることもあった。そして大黒ふ頭から副大臣車でホテルに帰り、シャワーを浴びて就寝するという日々であった。

現地報告書 #1

橋本は普段から随時大臣や厚生労働省幹部と電話などでの報告や連絡は行っているものの、本省内でより共有されやすいように書面でも報告を送っていくべきかと考え、この晩ホテルに戻ってから簡単な報告書を作成した。翌13日に副大臣室の石川直人主任秘書および小澤由香秘書から大臣室や本省新型コロナウイルス感染症対策推進本部に共有してもらうよう午前3時前にメールで依頼した。以下そのまま引用する。

令和2年2月13日

厚生労働大臣　加藤勝信様

現地報告書 #1

厚生労働副大臣
厚生労働省ダイヤモンド・プリンセス号現地責任者
橋本　岳

1．ダイヤモンド・プリンセス号船内の状況

- 2月12日までの時点で、発熱者の新規発生にまだ収まる様子がなく、かつ乗組員の感染者が増えています。専門家の推論によると、乗組員での間の感染がかなり早期から現時点まで継続しているのではないかとされています。現場の感覚でも全く同様であり、ダイヤモンド・プリンセス号船内は既に新型コロナウイルス感染症の蔓延期にあると認められます。
- 船員の1割以上が入院または発熱により休業となっています。バンドマンやダンサーであっても、それ以外の日常業務も持っているため、支障をきたしています。例えば、船長に対して感染対策上の要望を行っても「人手がないため困難」と返事される場合があります。交代なくずっと同じクルーが働いている様子も見られるため、残っているクルーの負荷は相当高くなっているものと思われます。

- 乗客は、外見上は落ち着いていますが、ストレスは相当高く、DPATの出番が一日に何件かずつ発生します。ただし物品等は充足しているように見受けられます。今後の見通しについて、皆知りたがっています。
- 船長とは一日に二回、朝晩ごとに長時間（1.5時間程度）綿密なミーティングを行っています。船長は、責任感と忍耐力、乗客へのホスピタリティを兼ね備えた立派な方です。One Teamとして協力関係を維持するよう努めています。
- 厚生労働省、防衛省、DMAT、JMAT、日赤、ICT等各支援チームは、いずれも士気旺盛であり協力して事態に向き合っていますが、とにかく手が足りません。感染症がアウトブレイクしている高齢化が進んだ一つの町規模の船舶の機能維持および感染防御、健康確保にはより一層の人手が必要です。

2．具体的な要望

① 医師、看護師等の専門職、上下船の受付やクルー業務を代替する人材、それらをマネジメント／コーディネートする人材等、あらゆる人手は現在の陣容では不足しています。発症者の対応、検体採取、搬送業務などは間に合っていません。増員を要望します。なお必要員数は、例えば医療関係者であれば、各日の発症者数や検体採取数の見込み（ないし実績）などから逆算していただきた

いです。

② 感染防御の基準を省庁間で統一してほしいです。感染防御が重要なことは当然ですが、厳格すぎて業務を行うことができず、その結果感染の可能性が低くないクルーが配膳業務等を行い続けているのは本末転倒とも思えます。

③ すでに船内が蔓延期であり、安全を保障できる状況ではないことに鑑み、各国に対して自国民保護のために乗客・乗員を安全な場所に移送する手立てを講じていただくべく、要請をお願いします。

④ また、一人でも多くの乗客ないし乗員を速やかに下船させ、きちんと管理できる宿泊施設等に移していただきたいです。これは船長からも強く要望されています。

⑤ 病床の確保についてもさらに努力を願います。柔軟化されてはいますが、第二種感染症指定病院のくくりを外すこともご検討いただきたいです。

⑥ 船会社に対して、本省においてコミュニケーションを充実いただきたいです。船長とのミーティングにおいて、電話参加の船会社の方からさまざまなデータ等の提供依頼をされる状況があり、対応に苦慮しています。本省の然るべきランクの方が定期的かつ綿密に会社とコミュニケーションをとる体制を確立し、現場の負荷軽減を図っていただきたいです。

以上、本報告を政府内で共有いただき、何卒実現賜りますようお願い申し上げます。

以上

なお②は、厚生労働省と防衛省の感染対策の考え方の違いについて、当時感じていたことを記している。また③の「安全を保障できる状況ではない」とは、客室待機開始前の感染による発熱者がなお相次いでいることに対し、医療チームの手が足りずタイムリーに診察・搬送できていない状況を指している表現である。

和光オペレーションの公表

13日の朝のリーダー会議では、メディカルセンターの支援に入っている日本赤十字社のチームから、夜に診療した回数は一件だけだったこと、DPATからスクリーニングシートで高得点だった乗客について電話や訪問でケアを行う予定であることや乗員のケアも検討したいこと、DICTから明日、乗員の消毒薬を配布できることや菅原教授らが作成した手指消毒などの動画をiPhoneで見せられるようにしたいこと、乗員を診察などの支援に同行させる際に、乗員の感染防止にも気を付けてほしいことなどが報告された。国立長寿医療研究センターの医師からは、高齢者の乗客からは同室の家族と離れたくないニーズが強いこと、おかゆなど食事の配慮をしてほしい旨などの報告や要望があった。また防衛省町田審議官からは、荷物運搬および公共の場所の消毒に自衛官のチームがあたることが報告された。

9時からの船長ミーティングの直前に、ハイリスク者を下船させ和光市の税務大学校寮で残り期間を過ごすオペレーション（以降、和光オペレーションと記す）の資料が本省から届いた。以前から政府内で検討および準備が行われていることは承知していたが、実施が確定し本日公表するため船長に説明するようにとのことであった。このオペレーションは、PCR検査が陰性であっても14日間の客室待機そのものが健康に対するリスクになり得ることに鑑み、特にそのリスクが高いと考えられる高齢者かつ客室にバルコニーのない方から順番に希望者を募り、医療アクセスも良い陸上施設で残りの検疫期間を過ごしていただくものだ。既にその準備として10日から自衛隊医官らは高齢の方から順番に症状の有無を問わず検体採取を行っていた。ただし本人が陰性でもこれまで陽性が確認された方の同室のため濃厚接触者とみなされる方は、対象外とされている。

11日に武漢チャーター便の1便目の帰国者197名、12日に2便目の帰国者199名の全員陰性が確認され、施設での健康観察が終了することに伴い宿泊施設が空くため、そこに移動させる目途が立ったこの日に公表することとなったものと思われる。搬送には自衛隊がバスなどを出して協力する予定となっていた。事前の見通しとしては14日から16日までの3日間で約500名以上を移すこととしており、現地支援チームとしても船内の人数が減ることで乗員の負担の軽減が期待されるため、ありがたい思いであった。

その紙も持って船長ミーティングに臨んだ。前日に確認を求められていた乗員の入院先リストについては後ほど送ることを伝え、会社から本省へのコンタクトパーソンは佐原総括審議官である旨返答をした。また当日の人員体制について報告した。またこの日も会社の方と船長の携帯電話経由で繋がれ、PCR検査にかかる時間や乗員の検疫などについての問い合わせに回答した。また、検疫終了の手順について確認を求められ、整理すると応じた。また、和光オペレーションについても船長に説明を行った。ただ人数の見通しについてはあくまでも希望者ベースなこともあり、確定次第改めて船長に知らせることとなった。またこの頃、せめて乗客乗員の食事の調理を船外で行い負担軽減できないか、政府内で各省が連携して検討が行われており、そのことについても船長にお話しした（この構想は実現しなかった）。

和光オペレーションについては、本省において正午すぎから加藤大臣が記者会見を行い公表した。船内では、本省と協力しながら対象者のリストアップや確認などの準備作業を行っていた。

船長ミーティング後、正林審議官から、厚生労働省本省から派遣されている職員のうち一名が、朝から微熱があると言っていると橋本に伝えられた。当時の厚生労働省の「受診の目安」では体温については37.5℃を上回る発熱としていたが、それを下回る体温ではあった。ただこの船内で活動している以上、やはり万一の感染の可能性も考えなければならない。医師である自見政務官にも相談したが、「帰らせた方がよい」という意見だった。そこでその職員には、ただちに仕事をやめて滞在先に戻り待機するよう橋本から伝えた。

とにかく手指衛生

この日の昼間、橋本は少し時間に余裕があった。そこで、DICTとして乗船しておられた岩手医科大学の櫻井教授に、感染防止のための手指衛生の意味ややり方などをじっくりお伺いした。残念ながらメモを取っていなかったので完全に記憶頼りではあるが、概ね以下のようなお話であったように思っている。そもそも「どういうタイミングでサージカルマスクを取り換えると良いのですか？」とお尋ねしたところから話が始まったと記憶しているが、結局感染メカニズムや個人でできる対策そのものについて、しっかり教えていただいた。

なおこの時点では新型コロナウイルス感染症のマイクロ飛沫による感染はまだ明らかにはなっておらず、密閉空間・密集場所・密接会話といういわゆる「三密」という概念もなかった。そういうタイミングにおける内容であることには、留意されたい。

- 新型コロナウイルスの伝播は、飛沫感染または接触感染によって起こると考えられている。
- ウイルスは、くしゃみや咳、会話などの際に唾液などの形で放出され、環境に付着していると考えられる。また、感染は眼、口、鼻などの粘膜にウイルスが付着することから起こることから、何かを触ることで環境から手にウイルスが付着し、その手で食事をしたり眼をこすったりすること、あるいは手で触れたものを使って口に入れる（ペットボトルや箸など）で実際に感染に至るというメカニズムである。普通はウイルスが肌に着いただけでは、感染は起きない。

- 医療従事者など、直接感染者あるいはその可能性が疑われる者と接する機会があり、特にくしゃみや咳を直接浴びる可能性が想定される場合は、フェイスシールドやN95マスク、キャップ、グローブ、ガウンといったPPEが必要。
- そうでない場合は、サージカルマスクの着用と、アルコールによる手指衛生で自分の手を清潔に保つことが重要。
- ただし、手指消毒は頻繁に行うこと。顔から上に触る（マスクを着ける、外す、鼻や目や頭を掻く、眼鏡を直すなどいかなる場合も）前には必ず手指消毒する、食事前には手指消毒する、トイレを使用する後も手指消毒する。また照明スイッチやコピー機のボタン、あるいは壁やエレベーターのボタン、手すり、ドアのノブ、コピー機やプリンターのボタンやタッチパネル、スマートホンやペン、卓上など、不特定多数の手が触れやすい場所や、自分だけであっても頻繁に触るものを触れた後にも必ず手指消毒する。こうしたことで、感染のリスクを下げることができる。
- そのため、全員アルコール消毒液を肩掛けポシェットなどに入れて必ず持ち歩き、いつでも手指消毒できるようにする（後に実際にDICTがこうした備品を調達して下さり、支援スタッフや乗員に配布して下さった）。
- 手指消毒は、単に手のひらをこするだけではなく、指先、指の間、手の甲、親指、手首まで時間をかけて行う。
- マスクを着けたり外したりする際は、マスクの表面にはウイルスが付着している可能性があるものと考え、触らない。紐の部分を持って着脱する。サージカルマスクは、食事のため外すたびに新しいものを着ける。着けたら、空気漏れが極力ないようにフィットさせる。マスクも含めPPEは単に着ければよいわけではなく、着脱の仕方などを知ることも大事。

- エレベーターのボタンやドアなど、どうしても触れなければ行動できない場合は、指の関節部分や手の甲を使うことで指先や手のひらの清潔を守り、リスクを下げることができる。
- 机の上、ペン、スマートホン、コピー機やプリンター、手すりなど大勢の人が触る可能性のある場所や物は、アルコール消毒可能なウエットティッシュなどでこまめに清拭することも大事。
- アルコール消毒液以外にも石鹸水（界面活性剤）でもウイルスは死ぬので、石鹸でこまめに手を洗うことも有効。

この櫻井先生の教えは、感染症専門家でも医療職でもない橋本にとっては本当に貴重なものだった。アルコール消毒液による手指消毒などはそれまでも行っていたが、いわば「見よう見まね」であり、理由を意識しながら必要性を自覚して行うことができるようになったことは、船内で行動をする上でも自信につながった。最終的に船内において橋本が新型コロナウイルス感染症に感染せずに済んだのは、この時の内容をとにかく正直に守り続けたからではないかと個人的には感謝している。

一方で、乗船して数日してからこの内容を知ることになったことは、それはそれで問題である。本来、乗船前に知る機会があるべきではなかったか。橋本以外にも厚生労働省本省から派遣されている職員で医療職ではない者もいる中で、上記のような内容を知らないかもしれない者を船内で活動させていることは如何なものか。当然ミーティングなどでDICTの方から手指消毒徹底などの注意喚起は行われていたが、この不安は直後に悪い形で的中してしまう。

自見政務官本省訪問

この日の夕方、自見政務官は上京し本省の新型コロナウイルス感染症対策推進本部を訪れた。船内で乗客乗員とも新規発熱者の発生が収まらない中、和光オペレーションのためのPCR検査の進捗やその結果管理、DMATやメディカルセンターなどが行う診察結果の管理などについて、総合的な名簿整理が行えておらずそのためさまざまな困難が生じていることが問題となっていた。このことは電話などで累次にわたり指摘し現地人員の増員を要望していたが対応がなかったため、直接船内の状況を伝える必要を感じたからである。また船長ミーティングやリーダー会議において報告すべき事項を適時に連絡するように関係各班に依頼して回った。和光オペレーションについても、送られた資料が現場ではよく理解できず困難が生じた点があったため、そのことについても事情を伝えた。

この日にはバージ船が到着し、ダイヤモンド・プリンセス号に横付けされた。これは船長の要請を受けた政府がバージ船を普段使用している米軍にかけあい、用意されたものである。この結果、以後外洋への航行はなくなり大黒ふ頭に着岸したままとなった。

iPhoneの設定作業は引き続き行われた。設定が完了した2,000個のiPhoneは、橋本から自衛隊に依頼して船内図書室まで搬入してもらった。また客室への配布のために船のホテル部門の責任者も面会し、翌14日までに乗員により客室に配布してもらう手配をした。紙のマニュアルも作成され、一緒に配布することとした。

本省から、橋本から船内の乗客に対して政府の活動を伝えるべきではないかとして船内放送を行うことが提案され、その原稿案については船長に確認を依頼することにした。

19時から夜のリーダー会議が行われた。前日の検疫官の感染公表があった中、DMAT・DPATでも撤収後に3例発熱例が発生していることが報告された。マスクの取り扱い（触ったら手指消毒する、食事ごとに付け替える）についてDICTから助言があった。搬送の状況や発熱相談件数や対応状況、検体採取の状況、DPATの支援の状況などが報告された。陽性で告知済だが搬送できなかった方の存在も報告された。同行の家族が医療機関に搬送され、一人で残されている不安の訴えがあったことも共有された。新規発熱者の数が減っているように思われる旨の報告もあった（DMATの報告書によると、この日は34人の新規発熱者が記録されている）。DICTから、乗客乗員用の手指衛生などの方法の動画を準備していること、乗船前から個人防護具の脱ぎ方などをオリエンテーションすることを考えたいこと、明日個人用の消毒薬を配布したいことなどの説明があった。

21時からの船長ミーティングでは、体制の報告や検体採取、PCR検査結果の報告や搬送状況などの報告を行い、iPhoneおよびLINEのマニュアルについて確認を求めた。またかねて依頼されていた客室の消毒に関して明日から業者による作業が始まること、橋本から船内アナウンスを行うことについて相談し、文案について確認を依頼した。また町田審議官からは、自衛隊の支援の考え方について説明を船長に行った。またこの日は国土交通省の方も同行しており、船長が乗員を移すフェリーなどを借りられないか要望していたことに対して、なかなか見当たらない旨返答をした。船長から、検体の採取や搬出、検査などのリアルタイムな数について詳しく尋ねられたが、そのような把握ができておらず、答えることができなかった。結局これは最後まで改善することはできなかった。

この日厚生労働省は、ニュースリリース「横浜港に検疫中のクルーズ船内で確認された新型コロナウイルス感染症について（第8報）」を発出し、13日に221名のPCR検査結果が判明し、44名の陽性者が確認されたこと、累計で713名中218名が陽性であったことを公表した。

DICTの船外への移行

翌14日朝7時半からのリーダー会議において、DICTの櫻井教授から、学会および派遣元病院の判断も踏まえDICTは船を降り船外活動に移行する旨の発言があった。検疫官の感染があり、またDMAT・DPATメンバーの下船後の発熱の報道もあり、さらにはそれらを受けて支援チームの応募が減少する事態にそれぞれに不安を感じていた各支援チームにとっては、感染症対策の専門家が撤退を決めたという印象となった。ただし船内における感染対策そのものは、国際医療福祉大学および国立国際医療研究センターの感染症専門医が引き続き派遣されることとなり、継続された。

後に櫻井教授から橋本が確認したところでは、船内ラウンドに基づく助言や指導、また厚生労働省へのレポート提出も済ませ、「自分たちの仕事はひと段落した」という認識であったと伺った。正直な感想を言えば、その時は現場に置き去りにされるような思いもしないでもなかったが、そういう任務の方々なのだと思えば仕方はない。ひとつ言えることがあるとすれば、日本には施設や船舶といった個々の現場での感染制御について、継続的に行うことをミッションとした専門的組織やチームが存在しないことが明らかになった瞬間だったということだろう。また現に活動している感染対策専門チームについても、心おきなく活動できるためのバックアップとなる制度や仕組みもない。これらは重要な今後の課題である。

和光オペレーションについては、この日の搬送対象となりうる者（症状がなくPCR検査で陰性となった高齢者の方）がもともと多くなかったことに加え、半数程度の方が船内での検疫継続を望み陸上施設への移動を希望しなかったため、この日の移動は11名に留まることが朝に明らかになった。既に健康観察期間14日間を半分以上過ぎており、ダイヤモンド・プリンセス号の客室の居心地の良さや荷造りの手間なども考慮されたものと思われる。支援チームとしては、百名規模での移動を期待していただけに、拍子抜け感は否めなかった。また自衛隊なども同様の想定のもとにこのオペレーションを準備しており、申し訳ない思いのする結果でもあった。船長ミーティングでもアルマ船長に伝えたが、「希望を募るのではなく、該当者は全員下船させるべきだった」という感想を言われた。聞いていた橋本らも同様の思いは持っており本省に意見具申していたが、本省の方針を動かすことはできずにいた。

前日に船長に確認を求めた橋本の船内放送については、了解をいただいた。「いつ放送しますか？」「今からしよう」という話になり、船長ミーティング後そのまま船長室からブリッジ（船橋）の放送マイクの前に座ることとなった。船長が英語で英訳を話し、橋本が日本語で話した。アナウンスをする際には、早口になる癖があるので、聞き取りやすいよう極力落ち着いて話すよう心掛けた。内容は以下の通りである。

ダイヤモンド・プリンセス号の乗客乗員の皆さま、おはようございます。厚生労働副大臣の橋本岳でございます。

既にご存じかもしれませんが、先日、一部の乗客の方々から、船内環境の改善に関する要望書を厚生労働省宛てにいただきました。皆さまの思いをしっかりと受け止めたうえで、本日ご挨拶をさせていただくに至りました。

皆さまにおかれましては、新型コロナウイルス感染症に関し、船内に留まっていただき、大変なご不便、ご苦労をおかけしております。これは、船内の皆さまを感染症からお守りするとともに、我が国の感染症対策として実施されているものです。早く我が家に帰られたい方、病気をお持ちの方など、多くのご不安、ご心配があることと存じております。政府と致しましては、皆さまの状況を少しでも改善させるため、努力をしております。

まず、皆さまの健康面に関する対応です。政府と致しましては、皆さま方に記載して頂いた医薬品のリストに基づいて、医師や薬剤師を通じて、必要な医薬品の提供を行っております。さらに、2月11日には船内のお薬相談の専用ダイヤルを設け、提供された医薬品に関するご相談やご照会に個別に対応するとともに、体調が変化された場合などの追加や変更なども行っております。

加えて、皆さまの身体および精神的な健康を保つため、多数の専門的医師を派遣しております。

また、船内の感染対策を強化するために、学会等の専門家集団の支援を受けて、感染対策にも取り組んでおります。

今後も、船内で生活いただいている皆さまには、引き続き、健康状態をお伺いさせていただき、体調に異変があった際には速やかに対応いたします。皆さまが健康に船内で過ごしていただけるよう、引き続き努力してまいります。

次に、皆さまに必要な物資についてです。

皆さまに必要な物資をお届けするために、政府一丸となって取り組んで行きたいと考えております。

最後に、皆さまに心からの御礼を申し上げます。

船内に留まっていただいている皆様の中には、聞き取り調査やウイルスの検査にご協力頂いた方もおられると思います。これらの情報のもとに、本船の感染防止対策を進めてまいりますので引き続きのご協力をお願い申し上げます。

今後の見通しについてですが、政府と致しましては、安心して下船していただけるよう、準備を積み重ねているところです。昨日 12 時に大臣が公表しましたが、新型コロナウイルス感染症とは別に、健康確保の観点からリスクが高いと考えられる方については、ウイルス検査を実施します。陽性が確認された場合には病院に搬送し、陰性が確認された方のうち希望される方は、下船して政府が用意する宿泊施設で生活していただくこととしました。また、希望されていない方は、そのまま船内に留まっていただくことになります。他にも詳しい見通しがわかり次第、ご連絡を差し上げます。

あらためまして、乗客乗員の皆さまには、この度の政府の対応にご協力を賜り、重ねて感謝申し上げます。

アナウンスをしながら、乗客乗員の方々の先の見通しを明確にお話できないことに胸の痛みを感じたことを憶えている。実際に、これまでの支援についてしか語らず先のことを全く語れなかったことについて、怒りを覚えた乗客の方の手記も発表されている[30)]。しかし決まっていないことについて話すこともできない。せめて私たちが乗船していることや、提出された要望を厚生労働省が受け止めていることだけでも伝えられれば、という思いだった。

JMAT活動開始

この日から、日本医師会の災害医療支援チームであるJMATが乗船し活動を開始した。自見政務官のマネジメントのもと、乗船前にターミナル2にてDICTより感染対策のレクチャーを受け、乗船後オリエンテーションで業務説明を行い、PPE装着の講習を受け、活動を行う手順をとった。午前午後で入れ替え制とされた。医師1名および看護師など1名がペアでひと組となり、午前午後それぞれ約10組ずつが活動した。通訳や船内の案内のため、2組につき1名ずつ乗員が同行した。JMATの参加者は、医師97名を含むのべ260名であった。初日はこれまで支援チームの手が及ばなかった乗員の有症状者の居室を訪問し、74名の健康チェックを行った。このJMAT活動により、船内医療支援チームが能動的に健康確認を行うことができるようになった。乗員間にも感染症の不安が高まっていたタイミングであり、それを踏まえJMATの主要派遣元のひとつである横浜市医師会の水野恭一会長がまず乗員への診察から行う旨の発言をした際には、涙をこぼす乗員もいた。

この活動に伴い、厚生労働省現地支援チームはJMAT活動終了後の問診票の記載漏れなどの確認、翌日の活動のための名簿の突き合わせや印字した問診票の準備など夜中まで事務作業に追われた。この作業は後の検疫終了オペレーションに生かされる。

14時から、ターミナル2で厚生労働省、防衛省、国土交通省など関係各省の事務レベルによる現地連絡会議が行われた。橋本が「顔を出しましょうか？」と厚生労働省の者に聞いたら「事務レベルの会なので来なくていいです」と言われたため参加しなかった。そのため内容は不詳だが、おそらくなんらかの情報共有などがなされたものと思われる。実際のところ、橋本は加藤大臣からは厚生労働省の現地責任者を命じられたものの、他省の現地チームに対して橋本に指揮権が付与されているのかどうかは最後まで曖昧なまま、相談と調整に頼って連携を図っていた。

かねて準備していたiPhoneが乗客乗員の客室に配布され、サービスが開始された。LINEのサービスメニューとしてFAQへのリンク、医薬品に係る問い合わせ、医師への相談（この時点では予約のみ）、心の健康相談が用意された。また後に医薬品の相談やDPATによる調査などにも利用された。また普通に電話もかけることができた（通信料金はソフトバンクが負担）。iPhoneの提供は、厚生労働省からプレスリリースで公表された。

12日から13日にかけて、やはり日々判明する陽性者の下船に難渋をし続けた。その解消のため、支援チームで相談し、ギャングウエイから大黒ふ頭に降りた地点にプレハブ小屋を設置し下船した陽性者の待機場所とすることとした。自見政務官から民間事業者に、大坪審議官から国土交通省にそれぞれ依頼し、翌15日には民間事業者分、17日に国土交通省分のプレハブ小屋が設置された。

厚生労働省では、12日の検疫官の感染判明を受けて現地医療支援チームから要望があったことを受け、「クルーズ船内で医療救護活動に従事されている皆様へ」[31] という文書を公表した。2月12日に感染が判明した検疫官の感染原因について報告するとともに、検体採取時およびそれ以外の業務時における感染防護方法を述べ、感染症専門家の派遣により感染防護指導と活動拠点の環境管理などの徹底について記している。検体採取業務の場合はフェイスシールドなどの着用、サージカルマスクまたはN95マスクの着用、アイソレーションガウンの着用、手袋の装着、手指消毒剤の携帯などを行うこととし、それ以外の業務の場合は、飲食などを除く場面でのサージカルマスクの常時着用、手指消毒剤の携帯などを行うことを定めている。これらは実際に船内で行われていた対策ではあるが、これを公表することによりDMATなどの派遣元医療機関の懸念を少しでも解消することを目指したものである。

バレンタインデー

「本日はバレンタインデーでございますが、これを受けてダイヤモンド・プ

リンセスにはたくさんの愛のメッセージが寄せられております。心温まる応援メッセージに、励まされています。またソーシャルメディアをご覧になれる方は、ぜひ『#がんばれダイヤモンド・プリンセス』でソーシャルメディアを検索してみてください。さまざまな応援メッセージを見ることができます。皆さまも今日のような特別な日は、身近な人やご自宅にて待たれる愛する人に気持ちを伝えてみるのはいかがでしょうか？

ここで溢れる愛を称える詩編の一部を読ませてください。『愛、それは全てを乗り越え、全てを受け入れる。それは全てに希望を与え、全てを耐え忍ぶ。愛は決して裏切らない。』素敵なバレンタインデーをお過ごしください。

またこの後も改めて放送にて情報のアップデートをさせていただきたく存じます。ありがとうございました」。これは14日18時過ぎの船長による英語のアナウンスの後行われた、同内容の通訳の方による日本語のアナウンスである[32)]。この日は乗客にもハート形のチョコレートケーキが夕食のデザートとして振舞われており[33)]、支援チームの食事にも同じものが提供された。

当時こそ、新型コロナウイルス感染症が船内で蔓延してしまい検疫中ではあったが、しかし本来のダイヤモンド・プリンセス号はとても素敵な大型クルーズ船で、各地を周遊しながら世界各国からの多くの乗客をもてなし楽しませ続ける存在だ。検疫期間中、船長以下全ての乗員一人ひとりに至るまでが、自分たちも逆境の中にあってもなお、おもてなしのプロとして乗客や支援チームに対する心温まるホスピタリティを維持し続けたことは、今もって心から敬服してやまない。この日のアナウンスや心配りは、まさにそのことを象徴していた。

しかし同時に、その素晴らしい乗員の方々の文字通りの献身により乗客の14日間の検疫が実施されている状況は本当に心苦しい限りであり、一刻も早く解消したかった。リーダー会議でも、乗員の検疫はどうなるのか、人道上の問題ではないのかともメディカルセンターの医師から繰り返し問われており、見通しを示すことができないのは誠に申し訳ないこととしか言いようがなかった。幾度も本省に見通しを立てることを催促していたが、ようやく目途が立って15日に相談できるとの報せがあり、橋本は上京して本省で直接確認することとした。

なおこの頃、総理官邸と厚生労働省との間で、乗客全員に対してPCR検査を行うかどうかで議論があったようである[34)]。この経緯について当時は承知していなかったが、こうした議論で時間を費やした面はあったのかもしれない。

現地報告書 #2

この日も19時30分から2回目のリーダー会議が行われた。医療支援チームで活動し下船後に肺炎を発症した方が2名ある旨報告があった。また長寿医療センターの医師からは、下船により家族が離れ離れになってしまった乗客の話を聞いた旨報告があり、極力、家族がセットで入院できるよう調整するという方向性が確認された。自衛隊からは75歳以上の乗客および70～74歳の窓のない部屋の乗客の検体採取がほぼ終了したことが報告された。メディカルセンターからは、新規発熱者は減りつつあるが、今後は重症化する可能性がある旨注意喚起があった。

21時からの船長ミーティングでは、支援チームの人数、検体採取数、医療機関への搬送数などの報告をし、またかねて船長から依頼されていた部屋の消毒清掃について消毒業者により10室行われ、明日には58室行う見通しを伝えた。また、乗客がいる部屋のリネン交換をできる業者について要望され、日本側でも探すこととした。やはり動ける乗員の減少には困っているようであった。

この晩、ホテルに戻ってから再び現地報告書を作成し、15日に省内で配布してもらうようメールで厚生労働副大臣室の石川主任秘書、小澤秘書に依頼した[1]。文中に突然倉敷中央病院の名前が登場するが、ともに岡山県西部を地元

[1] 本書では、ダイヤモンド・プリンセス号の表記や誤字などを修正している。

とする橋本と加藤大臣が共通してイメージできる大病院の例として挙げたものだ。

令和2年2月15日

厚生労働大臣　加藤勝信様

現地報告書 #2

厚生労働副大臣
厚生労働省ダイヤモンド・プリンセス号現地責任者
橋本　岳

1. ダイヤモンド・プリンセス号船内の状況

- 2月14日までの船内において、連日重症例および陽性判明者の救急搬送を続けています。新規発熱者数が徐々に減少していることは好材料ではありますが、コールセンターが未だに繋がりにくいため、拾えていない人がいる可能性は捨てきれません。また診療に当たられた医師より、平熱で胸痛や呼吸苦を訴えて受診しレントゲンを撮ったら肺炎だった例が複数あったと紹介がありました。これは、仮にPCR結果が陽性であれば、新型コロナウイルスによる感染症は、発熱によるスクリーニングでは拾いきれない可能性を示唆します（とても厄介な事態です）。また医師たちの感覚では発症後一週間程度経過して重篤化する例が多いようであり、明日以降重症例として緊急搬送を要する事態の増加が懸念されています。
- 下船オペレーションにより2月14日に11名の高齢者が下船しました。オペレーションそのものは順調に進みました。今後もそのように進むことを祈っています。船内医療体制は、船内医務室、

DMAT、日赤、自衛隊などこれまでの参加組織に加え、横浜市医師会のJMATが多数参加されやっと発熱者の診察などに人手がさけるようになりました。しかし医療体制は乗客数および年齢構成に比すと依然脆弱と言わざるを得ず、その中で乗客・乗員の健康維持を続けることは困難です。病院船にすればよいとおっしゃる向きもありますが、①船長および船会社が名誉にかけて許さないであろうこと、②所与の体制が3,700床規模の大病院（倉敷中央病院は1,166床）なみの設備と組織人員には遠く及ばないことの二点により、ただの絵空事ないし机上の空論です。

- なお、下船オペレーションにおいて本省が作成した計画上は多数の乗客が対象とされていましたが、実際には少数での実施となりました。そのことによる他省庁からのクレームが、各省庁現場連絡会議において当省現場担当者に集中したことは、誠に遺憾です。本省においてフォロー願います。
- 船長およびクルーは依然責任感とホスピタリティを維持していますが、疲労の色は隠せません。関係は極めて良好であり、打ち合わせもテキパキと行えるようになりました。また打ち合わせへの船会社の電話参加がなくなったのは、本省において船会社と直接の関係構築を行っていただいた結果と思料します。深く感謝申し上げます。
- 乗客も、外形的には依然落ち着いています。LINEがプリインストールされたiPhoneが配布されましたが、メッセージとして入力されたもの（応答はしていません）を見ると、やはり先行きについての質問が多く見られます。
- 厚生労働省（横浜検疫所含む）、防衛省、DMAT、日赤、DPATなど支援チームは協力しながら最善を尽くしています。ネックはそれぞれにデータ入力などを行っているため、未だに乗客乗員の統合されたデータベースがないことです。本省において構築されつつあるものに期待しています。また、検疫官の発病が公表されたことにより、所属組織が派遣を渋る例、あるいは下船後に職場から14日間の待機を命じられる例などが相次いでいます。乗船して支援をした者が、職場に戻った後に不利益とならない対策が必要です。

2. 具体的な要望

① 潜伏期間12.5日が経過する2月18日まで頑張ろうと船長はアナウンスしており、乗客乗員とも心待ちにしています。また乗客の要望でも全例PCRを望む意見が聞こえます。こうしたことを考慮しつつ、どのようなプロセスにより検疫を解除するのか、具体的な計画立案を早急に望みます。

② その際には、一時的に千人規模のPCR検査や、下船実務（数が多く、高齢者も多く、荷物もあるため、単に下船しバス等に乗るだけでも相当時間がかかり難渋するものと思料）が発生することとなります。計画規模に見合った人員体制を、船内外および横浜検疫所（書類作成も含め200件／日以上のPCR検査の対応を行うだけでも既にパンク状態です）に整えていただくことが必要です。

③ 検疫解除時のPCR検査や退所のピークを低くするため、また前記の通り脆弱な医療体制のもと多数の高齢者を置く愚を一刻も早く解消するため、下船プロジェクトの対象拡大を求めます。たとえば症状の有無は入港直後の調査票により把握されたもので、実際

には全く無くなっている例も少なくありません。また窓がない客室の乗客優先は合理的な条件とは思いますが、数を増やすのであれば窓やベランダがある客室を対象にすることも考えられます。現在同室者がともに陰性であることも条件ですが、片方が陽性の場合その方は入院となってしまい、陰性の方は一人で残されることとなるため、濃厚接触者であっても症状がなければ移動に耐え、個室で発熱等のチェックをおこないつつ隔離を継続することも可能です。

④　乗船して支援にあたった方々について、職場で不当な取り扱いを受けることがないよう、通知等の発出をご検討願いたいです。検体採取等の業務についてはフェイスシールドやガウン装着等を行い、その他乗客乗員とあまり接しない業務もマスクや手指消毒などの感染対策をDICTの指導の下行っており、過剰な反応の必要がない旨を厚生労働省のクレジットで関係機関に周知をいただくことは、支援者確保のためには効果的であると思われます。

⑤　乗客・乗員の統合的なデータベースの整備を心待ちにしています。

以上

平常時におけるダイヤモンド・プリンセス号の下船手順

15日朝も7時半からのリーダー会議からスタートし、いつものように夜中の往診や搬送について共有する。この日は数件の往診にとどまっていた。検体採取も70歳代まで進む見通しとのことであった。メディカルセンターの医師から検疫終了の見通しについて重ねて問われ、このあと橋本が上京し厚生労働省にて詰めてくる旨をお話しした。

9時すぎから船長ミーティング。この日は、厚生労働省での検疫終了の手順の参考とするためまず平常時におけるダイヤモンド・プリンセス号の乗客の下船の手順を橋本から丁寧に確認した。概ね以下のような手順とのことであった。

- まず乗客のグループ分けをする。1グループは60～70名であり、下船後の航空機の便などを考慮する。グループには色と番号で名前を付ける(「シルバーの3番」、「レッドの5番」など)。
- 前日に、手紙で各乗客のグループおよび下船時間、荷物を部屋の外に出す時間を知らせる。あわせて荷物につけるグループ名を記したタグも配布する。
- 荷物は前日晩に乗員が集めておき、翌朝ターミナルに運ぶ。ターミナルにて、タグによりグループごとに荷物を整理しておく。
- 下船の時間に、船内アナウンスによりグループごとに順次下船を呼びかける。通常時はグループごとにラウンジに集まってもらうが、今回は直接4階の下船口に来てもらう。
- 通常は3,000人を4時間で下船させる。ただし下船口を2か所使用する場合。

また船長ミーティングでは、支援スタッフ数の確認や、和光オペレーションの希望者がこの日は1名であること、検体採取の件数が400件以上だったことなどが共有された。

検疫終了手順の検討

船長ミーティング終了後、副大臣車で上京した。念のため議員宿舎の自分の部屋に立ち寄りシャワーを浴びて、ウイルスが付着しているかもしれない船内のほこり・ちりを持ち込まないよう身体を洗ってから厚生労働省に向かった。まずは副大臣室に入り、その時点で想定されていた検疫終了の手順について話を聞いた。

当時ダイヤモンド・プリンセス号は検疫済証も仮検疫済証も交付されておらず、検疫法第五条（交通等の制限）により船内からの上陸が禁止された状況にあった。そこで検疫を終了して乗客を上陸させることは、その第五条の一号「検疫感染症の病原体に汚染していないことが明らかである旨の検疫所長の確認を受けて、当該船舶から上陸し、若しくは物を陸揚げし、又は当該航空機及び検疫飛行場ごとに検疫所長が指定する場所から離れ、若しくは物を運び出すとき。」を適用する場合と考えられる。したがって、「検疫感染症の病原体に汚染していないこと」をどう確認するのかが問題となった。

当初厚生労働省は、当時のPCR検査の実施能力の乏しさも考慮し、「感染リスクのない場所で14日間を過ごし、その間に発症がなければ感染していなかったものと考える」というロジックで検疫を行うこととし、5日朝から客室待機とした。2月5日朝の加藤大臣発言で「新型コロナウイルスにおいて、ウイルスの有無を科学的に確認せずに疫学的な条件のみで判断する場合には、最大14日間の潜伏期間を想定した措置をとっているところであります。」と述べている通りである。従って、本来は19日朝の時点で特にそれまで発熱などの症状がなく過ごしている者については、ただちに検疫解除とすることも理論上は考えられる。

しかし、船内のPCR検査において陽性者が日々多数判明していたことから、メディア報道などでは客室待機の有効性に疑問の声があった。また乗客の方からも、PCR検査の結果が陰性であることを確認をして、安心して家族の待つ家に帰宅したいというご意見もあった。そうしたことも踏まえ、全員にPCR検査を行って陰性を確認することとなった。

橋本が15日昼前に副大臣室で見せられた検疫終了の手順案では、潜伏期間を12.5日とした上で（当時、潜伏期間については12.5日間または14日間という二つの説があった）5日7時から12.5日が経過する7日19時で潜伏期間終了とし、18日からPCR検査を検疫終了の対象となる約2,200名に対して3日間かけて行い、一両日で結果が返ってくるものとして20日～22日にかけて約750～700名ずつ下船するというものであった。

この案は、手堅いものとは考えられるが、いくつかの点で現場としては改善すべきものと橋本は感じた。まず、日々行われる船長のアナウンスでは、おそらく5日の加藤大臣会見内容を踏まえ「18日まで頑張ろう」という趣旨の励ましが日々続けられていた。せっかく日を決めて頑張っていただいているのに、客室待機で既に高いストレス下にあると思われる乗客の方々のゴールポストをゴール数日前に動かしてさらに落胆を招くようなことは、極力避けたかった。全員は難しいとしても、19日には検疫終了による下船が開始されるというゴールは、動かしたくはなかった。

また、これまで和光オペレーションのために年齢の高い方々から順次検体採取を行い既に検査結果を積み重ねていたにも関わらず、これを考慮せずに再び全員PCR検査をやり直すのは非合理的とも思われた。また当時自衛隊医官および検疫官による数チームで日々の検体採取を行っていたところ、この計画では1日25チームもの検体採取チームが稼働することが想定されていた。その確保の目途を尋ねると「これから検討します」との返事であり、したがって3日間という検体採取に要する期間もただの机上の計算のように思われた。さらに事前の予告や荷造りの時間なども考慮されていなかった。そして乗客が乗船している間は乗員の検疫を開始することができない状況が続いていたため、働き続けている乗員のために一日も早く乗客の検疫を終了させたかった。

そこでその場で検討し、新しい計画を案出した。まず個々の乗客の方々が感染していないことの確認は、客室待機開始当初の考え方に戻し、客室待機開始から長くみた潜伏期間14日間に発症しないという基準で行うこととした。この日からJMATが乗客全員の訪問を開始して健康チェックをしており17日までに確認し終わる見通しであることを踏まえ、この健康確認で症状がないこと、および健康観察期間終了後の下船時に検疫官がサーモグラフィーで体温の確認をすることの二点で問題がなければ、発症しなかったとみなすこととした。その上で、PCR検査については既に75歳以上の乗客の方の検体採取は終了しており、このまま検体採取を続ければ18日までに採取し終わるものと考えられたため、本人および同室者のPCR検査結果が陰性であることをもってダブルチェックと位置づけることとした。こうした整理を行うことで、早い方には18日にはPCR検査結果と健康チェック結果が出揃い、事前に荷造りの時間を持っていただいた上で、19日朝からサーモグラフィーで体温チェックの上、検疫終了として下船が開始でき、遅い方でも21日に下船するという計画を立てた。既に船内で行っている活動をそのまま検疫終了のプロセスに生かし、健康観察期間による感染していない確認に加えPCR検査も全員に実施しつつ、乗客の検疫期間を最短にすることを意図したものだ。

この方針については、橋本が手描きでポンチ絵を描いて大臣室に持ち込み、加藤大臣にもご説明して了解をいただいた。その後総理官邸における打ち合わせでもこの方針が説明された上で、17時25分からの加藤大臣記者会見において発表され、あわせてプレスリリース「クルーズ船ダイヤモンド・プリンセス号からの下船について」も公表された。

橋本は総理官邸での打ち合わせが終了するのを待った上で厚生労働省を辞し、再び大黒ふ頭のダイヤモンド・プリンセス号船内に戻った。自見政務官、正林審議官はじめ船内支援チームに決定した検疫終了プロセスを伝え、具体化のための打ち合わせを行った。

サプライズ

この日は和光オペレーションの移動者は1名だった。また消毒業者が48室を消毒し、前日と合わせ依頼された58室の作業を終了させた。また自衛隊も船長の要請に基づく公共空間（階段室、アトリウムなど）の消毒支援を行った。

この頃チャーター便による米国人の乗客乗員の下船を行う準備も始まっている。米国DMATの医師らも乗船し、米国人の健康チェックを行った。以降、各国がチャーター便を飛ばして自国民を帰国させる取り組みが進むが、現場支援チームとしては、手が回らない中で支援の対象者が減るのは誠にありがたいというのが偽らざる気持ちだった。検体採取は続けていたため新規陽性者が連日判明していたが、一方では新規発熱者数も一桁台になっており、客室待機をはじめとする感染対策の効果が実感されるようになってきたのも、ようやくこの頃からである。

夜の船長ミーティングでは、支援チームの人数の確認やPCR検査の検体採取や結果判明の状況、搬送の状況について確認がされた。また船長から、発熱した船員の診察に行った支援チームがドアノックしても返事がなかったので引き返したが、後で意識を失って発見された例があったため、返事がない場合は乗員を呼んでドアをあけるようにしてほしい旨お話があった。ただし確認したところこの例では直後にドアを開けて確認しており、誤解であったことが後に判明した。

そうした打ち合わせがひと段落したところで、アルマ船長が乗員を呼んだ。その乗員はしずしずとろうそくに火の灯ったケーキを捧げ持って入場。そして一同ハッピーバースデーの合唱となった。実はこの日は自見政務官の誕生日だったのだ。ケーキはサボイに持ち帰り支援チーム皆で分けていただいた。乗客に対する誕生日ケーキのサービスは検疫中でも続けられていた[35)]が、支援チームにとってもサプライズの心和むわずかなひとときであった。おそらくは、アルマ船長はじめ乗員たちにとっても、乗客を楽しませるきらびやかなクルーズ船の日常をささやかに取り戻す瞬間だったのではないだろうか。

この日厚生労働省は、ニュースリリース「横浜港に検疫中のクルーズ船内で確認された新型コロナウイルス感染症について（第9報）」を発出し、15日に217名のPCR検査結果が判明し、67名の陽性者が確認されたこと、累計で930

名中285名が陽性であったことを公表した。

誤った内容の手紙の配布

16日の朝のリーダー会議では、夜間の往診や電話対応がそれぞれ数名だったこと、DMATの応募が減少しており人員が不足しつつあること、自衛隊中央病院への搬送が開始されたこと、19日以降の滞在の可能性を踏まえ薬に関する問い合わせが増えていること、発熱の連絡により部屋を訪れた際に反応がなかった場合は必ず乗員に知らせることなどが共有された。またDICT櫻井教授から、手指消毒薬2,000本と携帯用のポーチを発注したことが報告された。船長ミーティングでは、支援体制の報告や検体採取状況などをこちらから報告した。

とりあえず乗客の下船プロセスが定まりひとつのゴールが見えてきたことから、個人的には少しほっとした時間がこの頃から流れ始めていたように思う。もちろん、DMATや日本赤十字社のチームは発熱者などの対応にあたっていたし、自衛隊による検体採取も進んでいた。またJMATチームは乗客の健康チェックのため各客室を回っていた。事務的にはそうした作業の結果などを名簿などに反映させ、海外からのチャーターなどの該当者の割り出しの作業などが始まっていた。この日は15名が和光オペレーションにより下船した。順調にものごとが進んでいる。橋本が次に考えなければならないことは、乗客のうち検疫終了できなかった濃厚接触者の取り扱いと、乗員の検疫開始と終了についてだった。濃厚接触者については、和光オペレーションでの下船者が期待より少なかった分、施設の空き部屋が期待できた。そうした連絡調整を本省の対策推進本部などとサボイの奥の橋本の定位置で行っていた。

14時ごろ、大坪寛子審議官から「誤った内容の手紙が客室に配布されているようだ」という話が伝えられた。大坪審議官は10日に船内視察のためダイヤモンド・プリンセス号を訪れたのち14日から船内支援チーム勤務となり、主に防衛省や国土交通省など他省との連絡調整にあたっていたが、同時に乗客からの問い合わせなどの対応も行っていた。その中で、15日に船会社から配布された手紙では「早くても22日から下船が行われる見通し」と記載されていたということであり、報道では19日から下船開始と言われているのにどうなっているのかという問い合わせがあったのだ。実際にその手紙も確認されており、昨日厚生労働省が発表した内容とは異なる下船の手順が記されていた。

これでは乗客の方々も混乱してしまう。ただちに正林、大坪両審議官とともに船長室に向かいアルマ船長に確認した。どうやら、15日午前中に厚生労働省本省の担当者がプリンセス・クルーズ社の方に当初検討されていた下船手順案を伝えたところ、そのまま手紙にして配布されたものと思われた。その後に橋本が下船手順を再検討したため、結果として誤った手紙が配布されたのだ。そこで、船長には今後は日本政府の方針に関して乗客に手紙などで連絡する場合には事前に支援チームに確認をする旨申し入れるとともに、訂正のために船内放送で下船手順を伝えることとなった。そこで、厚生労働省のプレスリリースをもとにその場で簡単に原稿を作成し、再び橋本がマイクを持ち下船の方針に関する放送を行った[36)]。

「ご乗船の皆さま、こんにちは。私は、厚生労働副大臣の橋本岳でございます。昨日、未確定の情報として、皆さまのお手元に、プリンセス・クルーズ社のジャン・スワーツ社長様からのお手紙が届いているかと思います。

改めまして、最新の情報を厚生労働省としてご案内を申し上げますので、お聞きいただきたいと思います。

昨日、厚生労働省が公表いたしました基本方針について申し上げます。クルーズ船ダイヤモンド・プリンセス号の乗客のうち、陽性の方、あるいは陽性者と同室の方を除く70歳以上の高齢者の方については、PCR検査を実施済みまたは実施中でございます。このPCR検査で陰性の方については、この14日間の健康状態を改めて確認をさせていただき、問題のない方についてはさらなるPCR検査を行わずに順次下船を行っていただくこととします。またさらに、

陽性者や陽性者の方と同室の方を除く70歳未満の方についても、既に順次PCR検査を始めております。その結果が陰性の方についても、先ほど申し上げた方々と同様の取り扱いとさせていただきます。

この結果といたしまして、一番早い方で2月の19日から下船を開始していただくことができるようにいたします。また、遅くとも2月の21日までに、陰性であった方およびその同室の方ではない方[2]について、下船をしていただけるものと、考えております。

なお同室者が陽性であった方については、その方について感染防止対策がとられた時点から改めて14日間をカウントさせていただくことといたします。またその方々につきましては、追ってご案内を申し上げたいと思います。

なお、日本国ではない国籍の方につきましては、それぞれの国によって今申し上げたこととさらにそれぞれの国なりの措置が考えられますので、そちらにつきましては、各国の大使館の方にご連絡いただければ幸いであります。

私からのご案内は以上でございます。さらに新しい情報がございましたら、私からもご案内を申し上げます。以上です。

この内容については改めて手紙の形でも乗客に配布することにした。この手紙は船会社の確認を経て18日に配布された。

なおこの日の晩に米国のチャーター便が出発することとなっており、その準備のために防衛省町田審議官とともに船長室に呼ばれて船長と打ち合わせを行っている。チャーター便での米国人の下船にあたり、自衛隊に荷物搬出の支援を依頼する内容だった。

自見政務官は夕方下船して神奈川県医師会館を訪れ、神奈川県医師会長や地区医師会長らにダイヤモンド・プリンセス号内の状況などについて説明し、

[2] いささか混乱している。正しくは「ご自身も同室者の方も共に陰性であった方」。

JMATへのさらなる協力を要請した。

夜のリーダー会議では、DMAT、DPAT、薬剤チーム、JMAT、日赤、自衛隊などの活動状況が報告された。検疫終了に向けて検体採取を進めていること、自衛隊中央病院が陽性者を20名以上受け入れてくださったこと、JMATによる乗客の健康確認が進捗したこと、発熱の電話はずっと減ってきている状況にあること、米国に続きカナダや香港もチャーター便を派遣する予定であることなどが共有された。また船長ミーティングでも同様の状況が共有された。

この晩は、米国へのチャーター便で出発する方の荷物の搬出およびバスでの出発が夜中まで続けられた。なお米国はPCR検査が陽性の方以外の米国人を対象として下船者を決定した。そのため、PCR検査が済んでいない方や、検体は採取したものの結果が判明していない方も対象者に含まれていた。その旨米側には伝え確認を求めたがそのまま下船が行われ、結果としてチャーター便離陸後に陽性が判明した方もいた。チャーター便で帰国した方々は米国到着後改めて隔離措置が取られており、その後の日本の検疫終了者と比較して厳格であるといった報道もあったが、上記の条件や、バスや航空機内での感染拡大の可能性も米国は考慮したものと思われる。

この日厚生労働省は、ニュースリリース「横浜港に検疫中のクルーズ船内で確認された新型コロナウイルス感染症について（第10報）」を発出し、16日に289名のPCR検査結果が判明し、70名の陽性者が確認されたこと、累計で1,219名中355名が陽性であったことを公表した。

乗客の方へのお手紙

政府宛てに、乗客の方から要望書やお手紙もいただいた。お返事も書いてお届けしたこともあった。一例としてある方へのお返事を掲載する。

ダイヤモンド・プリンセス船内
○○　○○様

前略　まず、このたびの検疫にご協力いただき、不自由な船内においてお過ごしいただいていることに、深く感謝申し上げます。私は2月10日に加藤勝信厚労相より、厚生労働省の現地責任者を命ぜられ、船内に常駐してダイヤモンド・プリンセス号関連業務の対応にあたっている者です。

さて先日、加藤勝信厚生労働大臣、武田良太内閣府特命担当大臣（防災担当)、および関係閣僚宛ての書面を本船フロントスタッフより預かりました。直ちに本省に伝えてはおりますが、現地責任者としてお返事申し上げます。いささか時間がかかったことを、深くお詫び申し上げます。

まず、①情報公開についてです。現在私どもとしては、隠し立てすることなく様々な情報をお伝えしたいと願っています。現在、検疫の解除に向けて検体採取を順次続けており、そのため日々検査結果も判明しています。たとえば昨晩289名の検査結果の報告があり、うち陽性の方が70名、陰性の方は219名とされています。こうした数字は、一日二回の船長との打ち合わせの際に逐次お伝えをしています。また、厚生労働省webサイト（https://www.mhlw.go.jp/）の「新型コロナウイルス感染症について」のページの中で、「横浜港で検疫中のクルーズ船内で確認された新型コロナウイルス感染症について」として累次にわたり本船乗客・乗員の検査結果等について公表しています（ただ、事務的にいつも1日遅れて掲載されるのは、改善したいところです)。

次に、②不安の払拭についてです。昨日、政府としてダイヤモンド・プリンセス号の検疫解除に向けた基本方針が確認され、全員のPCR検査を行ってから下船いただくこととなりました。現在、乗客の皆さまに自衛隊のチームが順次検体採取のお願いに上がっておりますので、ご協力賜りますようお願い申し上げます。なお、可能な限り多くの方に19日に下船いただけるよう努力していますが、検体採取の量が膨大であり、また検査そのものにも1～2日を要するため、どうしても20日・21日までお待ちいただく方が残ってしまうものと予測しています。

③人権の尊重、配慮についてです。そもそも検疫という仕組みが、移動の制限など一定の人権侵害を伴う性質を持たざるを得ないものではありますが、当然、必要最低限でなければなりません。ご辛抱をおかけしておりますこと、誠に心苦しく思っています。物資やお食事のご要望などについては、当船のホテル部門と連携してプッシュ型支援も含め対応にあたるところです。なお崎陽軒の弁当は、私のもとにも届いておらず、残念に思っています（おそらく何かしらの調整不足があったものと思われます）。

乗員の皆さまへのご指摘も、全くその通りと考えます。専門家の指導を得て乗員の方々の感染対策にも取り組んでおりますし、いくつかの業務を自衛官が代行して支援することも行っています。しかし乗客がいるとサーブするのが彼らの務めでありかつ誇りであることもあり、本質的な解決は乗客が下船をし、彼らが個室で過ごせる環境を作ることしかないと考えています。ご高齢の方に希望を募り、埼玉県和光市にある政府の宿泊施設に移っていただく取り組みも行っていますが、多くの乗客が本船に残ることを希望されています。よって、乗員の検疫（個室待機）は、本格的には19日以降開始とならざるを得ないものと考えます。なお、ジェンナーロ・アルマ船長以下本船乗員の責任感とホスピタリティには、本当に頭が下がる思いを日々感じています。乗客下船後も、引き続き、乗員の検疫中の生活などについて必要な支援を行うことを考えています。

私は岡山県倉敷市を地元としており、一昨年の豪雨災害による倉敷市真備町の洪水にて災害現場支援にあたりました。その際の経験が生きる部分と、また大型客船内の新しい感染症発生として全く異なる特殊な部分とがあることを、日々実感しつつ業務にあたっています。国内への感染拡大を阻止しつつ、船内の乗客・乗員の皆さまにつつがなく検疫期間を過ごしていただき、安心して日常生活にお戻りいただけるよう、引き続き全力で努めます。

草々

令和2年2月16日

厚生労働副大臣
橋本　岳

Ⅰ-4. 乗船二週間目（2月17～23日）

厚労省職員の陽性者確認

17日朝のリーダー会議は、いつもより重い空気に満ちていた。橋本から、船内支援チームの厚生労働省職員一名がPCR検査を受けて陽性であったことを報告したからだ。この職員は13日に微熱を申告して早退させた者であり、翌日に検体採取を行いその後出勤せず待機していたが、16日に陽性の結果が判明しそのまま入院となった。橋本のもとには16日晩にその旨の連絡があった。

基本的には厚生労働省の支援チームは乗客と接する機会はなく、乗員に対しても限られた時間と人としか接することはない。ただ11日に陽性者の下船を急遽行った際、この職員は下船前の確認作業にあたっており、陽性者の方の氏名を確認するなど会話する機会があった。その際にはキャップ、マスク、フェイスシールド、ガウン、グローブなどのPPEは装着していたが、おそらくは脱衣時などに適切ではない取り扱いがあり感染してしまったのではないかと思われる。そもそもこの職員は医師ではなく事務官であり、感染防御に関する研修を受けさせることなく乗船させてしまったことが、感染を招いてしまったのではなかったかと推測している。厚生労働省として職員に対しまず自己を守るための研修などの機会を事前に設けることなく支援チームとして乗船させて対応させたことは大きな反省点であり、今後は改めるべきである。

この日の朝のリーダー会議では、上記以外に当直時の対応や新規陽性者数の報告に加え、和光オペレーションや感染ゴミの対応、食事場所に関するルールの確認などについて発言があった。また前日16日も新規発熱者数が9人と一桁にとどまったことも報告された。

船長ミーティングも支援チームの人員数や判明した陽性者数、各チームの活動などについて報告を行った。

前日晩のリーダー会議にて乗員の医師から、乗員の負担が厳しく、人道的、医療的、国際的にも問題のない対応をと求められていた。そのため橋本は乗客下船後の乗員の方の検疫について方針を確認するため、この日再び上京して厚生労働省本省に向かうこととした。到着して、副大臣室にて新型コロナウイルス感染症対策推進本部の担当者と、検疫終了者の下船についてバスの手配をどうするか、乗客のうち船に残る濃厚接触者をどこにとどめ置くか、乗員の検疫対応についてどうするか、などの意見交換を行った。本省からは乗員はPCR検査を行わず14日間の個室待機だけでよいのではないかという意見があったが、橋本からは乗客の濃厚接触者については早めに船外宿泊施設に移しての対応をお願いしたいこと、乗員についても14日間の個室での健康観察のみならずPCR検査の陰性を確認することを要望した。乗員の献身的な努力により乗客の検疫が実施できている状況を考えれば、極力乗客は濃厚接触者といえども速やかに下船させ乗員の検疫も開始することが望ましいし、また乗員自身も感染リスクに不安を感じながら働いていただいているため一刻も早く安心させる必要があったからだ。このあたりは本省と現場の認識のギャップを感じた。その後大臣室においても同様の議論が行われ、濃厚接触者の宿泊施設の確保について関係省庁や地元との調整を行うこととなった。また乗員については、PCR検査を全員に行う方針とされたものの、船舶の機能維持のために最低限必要な人員（ミニマムマンニング）をどう扱うかなどの論点もあることが確認され、船会社と段取りを詳細に詰めることが必要とされた。

なお、この時点までに厚生労働省本省の6階の会議室に通称「ダイヤモンド・プリンセス部屋」が設けられており、12～3名でダイヤモンド・プリンセス号内の乗客乗員のデータなどを管理・集計する作業を行っていた。船内から乗客データの本省での管理を要望していたことに応えたものである。この日から、後に「8割おじさん」として名を知られることとなる北海道大学の西浦博教授が手伝い始めることになり、データ解析を行って国会や政府に対して船内検疫の結果などに関する知見の提供を行った[37]。ただ橋本がそのことを知ったのはダイヤモンド・プリンセス号の対応および健康観察期間が終了した後であった。

この日は、和光オペレーションの最終便により38名が宿泊施設に搬送された。結局、高齢者等のハイリスク者で希望して陸上の施設へ移動した方は55名にとどまった。またJMATによる乗客の健康チェックは一通り終了し、翌日からはそのまま乗員の健康チェックを行うことになった。

夜のリーダー会議では、JMATの活動や和光オペレーションについて、またPCR検査の検体採取実績などの報告と共に、隔離開始後日が経ったことにより発症者の重症度が上がっている印象があるとの注意が喚起された。また今後の見通しについて乗客が不安に感じており、アナウンスだけでなく書面でしっかり伝える必要性があるという指摘もされた。DPATからはLINEアプリを使って乗客にアンケートを行い、回答を得た報告があった。

また船長とのミーティングでは、無症候者を藤田医科大学岡崎医療センターに搬送するプロジェクトの段取りや、検疫終了による下船の名簿確認の段取りなどの確認を行った。

この日、厚生労働省は、ニュースリリース「横浜港で検疫中のクルーズ船内で確認された新型コロナウイルス感染症について（第11報）」を発出し、17日に504名の検査結果が判明しうち99名が陽性であったこと、累計で1,723名中454名が陽性であったことを公表した。下船開始前に多くの新規陽性者が公表されることとなり世間では不安を呼んだようであるが、19日以降の検疫終了に向けて症状の有無にかかわらず乗客全員の検体採取を行った結果が徐々に判明しており、無症状の方を含め陽性者の方の数が一気に判明した結果である。

ある感染症専門家の乗船

18日の朝ミーティングでは、往診や搬送の状況報告に加え、自衛隊から乗客の検体採取が前日に終了し再チェックを行う旨、JMATの乗客健康チェックが不在者の再訪問も含めて終了した旨の報告があった。乗客の下船に向けた作業はここまでは概ね計画通りに進んでいた。またDPAT事務局から船内撤収の指示があり、DPAT支援チームは船外に拠点を移して必要に応じて船内に入る対応となる旨の報告もあった。

乗客全員の検査が進むにつれ、船内にとどまっている無症状の陽性者の方が多くなっていた。既に病床の確保が困難であり遠方までの搬送が続いていた中、厚生労働省からの呼びかけに応えて、当時開院前の愛知県の藤田医科大学岡崎医療センターが無症候者を受け入れてくれることとなり、この日から搬送が開始されることとなった。またカナダからのチャーター便のための下船が晩に行われることなどが共有された。

船長ミーティングでも、検体採取などの実績に加え、藤田医科大学への搬送についても報告された。また、下船に向けた手順について厚生労働省から乗客にあてた手紙について、既に配布されたことがアルマ船長からも報告された。

厚生労働省本省では、加藤大臣が記者会見において、昨日の段階で検体採取をすべて終了したと聞いていること、19日から逐次下船をするよう船内で具体的なオペレーションの段取りを作っていることなどについて報告していた。また厚生労働省はニュースリリース「横浜港で検疫中のクルーズ船の乗客の健康観察期間終了に伴う下船について」を公表し、健康観察開始から14日目まで発熱・呼吸器症状などの症状がなく経過し、ウイルス検査で『陰性』であることが確認された乗客については、新型コロナウイルスに感染している恐れはないことは明らかであるとして、検疫法第五条一号に基づき検疫所長から順次上陸が許可される旨が発表された。

船内支援チームでは、翌日からの検疫終了に伴う下船に備え、その対象者のリストの作成およびその準備が進められていた。候補リストが本省で作成され、健康チェックの結果などとの突き合わせ作業を船内で行って本省に戻し、上陸許可証および健康カードを本省で印刷して大黒ふ頭に持ち込み船内の乗客に配布する手はずとなっていた。ただこの日に陽性が判明した者をリストから除外する作業などがたてこみ、昼間は事務的には本省待ちの時間ができて少しゆっくりとした時間が流れていた。他のメンバーはそれぞれの作業にあたっており、橋本は、ひとりで留守番をする形でサボイの奥の定位置でノートパソコンに向かって作業などを行っていた。普段は副大臣秘書官がついており一人になることはないが、下船作業に向けて人手が足りない中で、占部秘書官には秘書官業務を免じて名簿整理作業に回ってもらっていた。

と、そこに、黒地にWHOと白抜きで書いたベストを着た男性が、DMATなどの事務スペースを観察するように歩きまわっていることに気付いた。お顔には見覚えがあり、以前ブログを読んだことのある感染症専門家の方ではないかと思った。SNSなどを通じて人づてにその方が乗船を希望しておられる由耳にはしていた。そのためしばらく様子を見ていたが、サボイ内を一人でうろうろしておられたので、話しかけてみることにした。「厚生労働省の橋本と申します。恐れ入りますが、○○先生とお見受けしますが？」と声をかけたところ、こちらを振り向かれた。名刺交換のため名刺入れをポケットから出したが、「名刺交換はしないので」と断られた。これは接触感染のリスクを減らすためなのだろうと思った。「先生はどういったご用件でここにおられるのですか？」とお尋ねしたところ、「え、いや…」と少しうろたえた感じで明確なお返事がなかった。今思えば、DMATの活動をするためという名目で許可を得て乗船しておられたのに、その活動をしておられないのだから、応える言葉がなかったのではないかと思われる。ダイヤモンド・プリンセス号は、仮検疫済証が交付されていない状態のため、検疫法上、下船（法律上は「上陸」）には感染症の国内上陸防止のため検疫所長の許可が誰でも必要であり、反射的に乗船も許可制にしていた現場である。事前に確認を受けてもおらず、その場で尋ねても許可の理由も仰って頂くこともできないままでは、乗船しておいていただくわけにはいかないと判断した。「では、どうぞこちらへ」と出口の方にご案内し、サボイの外で厚生労働省の職員に引き渡した。特に何もお話しされることなく、素直について行かれた。

藤田医科大学岡崎医療センターへは、この日は無症状病原体保有者24名に加え、それらの方々のご家族・同行者8名を搬送した。自衛隊のバスや先導による隊列で、運転する自衛隊員は全身を覆う防護服などPPEのフル装備であった。あとで聞いたところによると、愛知県までの間途中休憩は挟んだもののトイレにも行けず、おむつを装着していたという。困難な任務にあたっていただく自衛官の方々には本当に頭が下がる思いだった。厚生労働省もニュースリリース「横浜港で検疫中のクルーズ船内で確認された無症状病原体保有者の搬送について」として、搬送について公表を行った。家族の同行についても、それまでの搬送において家族を引き離さなければならなかった反省を踏まえて対応された。この藤田医科大学の対応は、同様に多数の陽性者を引き受けてくださった自衛隊中央病院や、他の医療機関とともに、本当にありがたいものであった。

慌ただしい下船開始準備

19日からの検疫終了に伴う下船開始のための下船者リストの作成や準備はかなり手間取った。もともとは下船対象の乗客の方には前日に荷物などの案内や上陸許可証、健康カードを部屋に配布し、荷造りなど準備していただく時間を作るように計画をしていた。しかし乗船者リストから翌日下船可能な対象者を絞り込む作業を本省側と船側でデータをやり取りする中で遅延やミスがしばしば生じ、本省に対して催促の連絡をたびたび行わざるを得なかった。思わず声を荒げてしまったこともある。また結果として、陽性者や陽性者の同室者（濃厚接触者）のため本来下船対象ではない方に対して上陸許可証を誤って配布してしまい、深夜や早朝に橋本や検疫所長がフェイスシールドや手袋などのPPEを着けてその方の客室に伺い、直接お目にかかってお詫びをした上で上陸許可証を回収するようなことも発生した。

晩のリーダー会議では、診察や搬送の報告に加え、自衛隊からは検体採取のフォローアップについて報告された。また乗客から情報面での不安が寄せられていること、乗員からは同室者が不在となった方からの不安があることなどが共有された。DMATメンバーのうち下船後にPCR検査で陽性となった方が一名あったことも報告された。19日は検疫終了による下船が開始されることに加え、JMATからは7階プロムナード・デッキのクラブ・フュージョンの空間に外来ブースを設け乗員の健康チェックに入る準備をしたことが報告された。体調に異状のない乗員についてはこれまで健康チェックなどに手が回っておらず不安を訴えられることが多かったことを受け、自見政務官の発案によりJMATによる乗客の健康チェックが終了したタイミングで乗員の健康スクリーニングを行うことを意図して計画したものである。なおこの頃、乗客の検体採取を終えた自衛隊医官に、乗員の検体採取まで行っていただくよう、橋本および自見政務官から防衛省町田審議官に依頼を行っていた。

船長ミーティングでは翌日の検疫終了者の下船に向けたタイムテーブルなどの最終確認などが行われた。なおこの時点までに、下船者の荷物などに関する案内の配布は済んでいたが、上陸許可証と健康カードはまだ本省から届いておらず、船側が対象となる乗客への配布を行う都合上、船長から催促を受けることとなった。上陸許可証と健康カードは23時半に船長に届けた。

しかしその後、サボイに戻って本省と電話連絡していた正林審議官が珍しく怒っており、事情を聞くと本省からさらに健康カードの修正をしたいので差し替えを求められたとのことであった。ここまで待たせておいて、さらに船側に二度手間をかけることになるのにふざけるなという感情は抑えきれなかったが、橋本からも本省に注意した上で引き受けることとした。差し替え版の健康カードは翌朝4時に本省から直接船長にメールされ、船側が印刷して各室に配布されることとなった。

こうして下船の準備でドタバタしていた傍ら、ふと気が付くと検疫所メンバーがスマホで何やら動画を見ていた。聞くと、先ほど乗船していた感染症専門家がYouTubeに動画をアップしたとのことだった。この日の夜中には韓国のチャーター便で帰国する方々の下船も並行して行われており、そのバスなどを横目に見ながらホテルに戻った。

シャワーを浴びた後に気になって動画を見てみたが、疲れ切っていたためその時は特に何も思うこともできず、そのまま深い眠りに落ちた。

この日、厚生労働省は、ニュースリリース「横浜港で検疫中のクルーズ船内で確認された新型コロナウイルス感染症について（第12報）」を発出し、18日に681名の検査結果が判明しうち88名が陽性であったこと、累計で2,404名中542名が陽性であったことを公表した。また、藤田医科大学岡崎医療センターへの無症状陽性の方の搬送についてもニュースリリースで公表された。

検疫終了による下船開始

翌19日も7時半から朝のリーダー会議が行われた。新規発熱者や陽性率は減少傾向にあることが共有された。また藤田医科大学に搬送後重症化し救急搬送された方があり、引き続き受け入れていただくものの、対象者の選定方法について見直しを行う方針が示された。DPATはターミナルに本部を設置するが、必要な時には船内に入り対応を行う旨報告があった。

この日は朝7時から下船される方の荷物回収を自衛隊が行うこととなっており、既に全身防護具に身を包んだ隊員の方々が活動を行っていた。部屋の前から荷物を回収し、先に陸揚げし、ターミナル1の建物にてグループごとに仕分けして置いておく作業である。普段は乗員が行う作業であるが、乗員も感染者などが増えて手が足りなかったためにアルマ船長から防衛省に依頼があり、それに応えたものだ。

検疫終了による下船は、同室者ともにPCR検査で陰性、健康チェックで異常なしという条件が揃った方が対象であり、この方々を船内で感染させるわけにはいかない。そのため検疫終了者の下船については、普段陽性者などの搬送などに使用している船央のギャングウエイを使用せず、船長に依頼して船首部のギャングウエイを使用することとなった。船首部ギャングウエイでは検疫官がサーモグラフィで検温し、発熱者のスクリーニングを行った。そして船首からターミナル1まで誘導ルートを通し、歩いて移動していただいた。ターミナルから先は横浜市交通局がバスを出して横浜駅などまでお送りする段取りであった。

実際に10時半すぎから乗客が一人ひとり歩いて下船し、船に残る方に手を振ったり、荷物を持ってターミナルに向かったりする姿を船内のサボイから眺めていたら、自然に感情が高ぶってきて涙がこぼれ落ちた。隣にいた占部秘書官の眼も潤んでいたようであった。振り返れば橋本たちがダイヤモンド・プリンセス号に来てから9日目、同号が入港して2週間。救急車やバスで医療機関や宿泊施設に移動するため、あるいはチャーター機で帰国するために下船する乗客は何度も見たが、普通に手持ちの荷物を持ち自分の足で歩いて、家に帰るために下船した乗客を見るのは、初めてだった。申し訳ないような、でも嬉しく安堵したような、名状しがたい複雑な感情がこみあげてきたのだ。思わず「いいか、あの人たちは、僕たちがこうやって仕事してきたから、歩いて下船できてるんだ！良かったなあ！」と言い聞かせていた。おそらくは、自分にも向けて。

午後、業務の合間を縫って自見政務官と共にターミナルにおける下船の様子を見に行った。「おかえりなさい」と書いた大きな掲示板とともに、プリンセス・クルーズのジャン・スワーツ社長が自ら出迎えに立ち、船旅に加え検疫に巻き込まれてしまった乗客たちを労っていた。こうした気遣いは政府では思いもつかないことであり、流石に普段からホスピタリティをもって仕事しておられる企業は違うと思った。

法律に基づく必要な取り組みだったとはいえ、何の罪もない3,711名にのぼる多数の方々をいわば船内に閉じ込めるという仕事は、その対象となった乗客乗員にとっても辛いことであったのはもちろん当然であるが、実施する支援チームのメンバーにとってもストレスフルな業務であったことも間違いない。

今にして思えば、歩いて下船する方々を見て、感情のタガが緩んでしまったのだろう。一方で、下船が開始されてから本省からこの当日にPCR陽性が判明した方が数名下船リストに含まれている旨の連絡があり、慌てて確認したところその方々はまだ下船していなかったため事なきを得たようなこともあった。

またこの日は、自見政務官の調整および現場指揮により、JMATの医師の問診による乗員全員を対象とした健康チェックを行った。それぞれの勤務の合間を縫い、会場のクラブ・フュージョンに900名近くの乗員が訪れた。3日の検疫開始時にサーモグラフィで全員の検温を行って以降、特に症状がなかった乗員にとっては初めての医療支援であった。やはり涙を流していた乗員もいたようである。乗員の方々も、自身も感染の不安を持ちながら、また同僚が何人も発熱して隔離されていく様子を知りながら、乗客の対応や船の維持などの業務にホスピタリティと責任感であたっていただき、ただ感謝しかない。しかし彼らにかかるストレスもまた極めて大きかったものと考える。健康チェックは午後には概ね終了した。その後、乗員全員のPCR検査の検体採取を行う会場準備を行った。自衛隊医官によるPCR検査の検体採取は、乗客に対してはこの日の午前中までに終了し、午後からは船側から提供された乗員の有症状者リストに基づき検体採取を行った。

検疫開始から2週間が経過したこの日、支援チームにとっては、乗客の検疫終了による下船が開始され、無症状の乗員に対する支援にようやく着手できた、節目の日であった。

動画の反響

一方朝から、YouTubeにアップされた動画の影響で、さまざまな報道がなされていたことは船内でも深刻に受け止められていた。中にいる身からすると必ずしも正確な報道ばかりではない印象もあったが、一方で政府側もそれまで船内の取組みなどについて十分な広報ができていたわけでもなく、打ち消す根拠もない状況であった。そこで本省と相談の上、せめて船内における感染対策の取組みについてまず整理を行うこととした。

また個人的にも Facebook と Twitter で以下のように経緯を記して公表した[1]。

現在、ダイヤモンド・プリンセス号では検疫終了者の下船に向けた準備が進んでいます。荷物は先にターミナルに降りており、対象者は10：30以降順次下船の運びとなります。明日、明後日も順次下船いただけるよう、クルーや自衛隊はじめ多くの皆さまにご協力をいただきながら、オペレーションを進めます。

なお昨日、私の預かり知らぬところで、ある医師が検疫中の船内に立ち入られるという事案がありました。事後に拝見したご本人の動画によると、ご本人の希望によりあちこち頼ったあげくに厚生労働省の者が適当な理由をつけて許したとの由ですが、現場責任者としての私は承知しておりませんでした。お見掛けした際に私からご挨拶をし、ご用向きを伺ったものの明確なご返事がなく、よって丁寧に船舶からご退去をいただきました。多少表情は冷たかったかもしれません。専門家ともあろう方が、そのようなルートで検疫中の船舶に侵入されるというのは、正直驚きを禁じ得ません。ただの感染症蔓延地域ではないのです。本件は厚生労働省本省に伝え、なぜこのような事案が発生したか確認を求めています。

現在厚生労働省は、閉鎖船内における新しいウイルスによる感染症の発生という事態の中で、多くの専門家のお力を船舶内外からいただき、

[1] Facebook と Twitter では「ダイヤモンドプリンセス」と記しているが、本書の表記にあわせた。

臨船検疫を行っています。ただ実際に職員の感染が判明してしまった状況の中で、完全なコントロールができていると申し上げることはできません。限られた空間、限られた人員資源の中で、しかし今なお臨船検疫中の乗客や乗員の方々、あるいは多数の地域や医療機関や組織のご協力により、改善を重ねながら一人でも多くの方の感染を防ぎ、また感染や発症した方を病院に搬送する業務を続けています。ご協力いただける多くの方に感謝の気持ちを持ちつつ、厚生労働省としては、引き続き全力を尽くします。

この投稿に対しても、とても多くのコメントをいただいた。評価や励ましのコメントもあったが、やはり「専門家の意見を聞かず、船内の感染を拡大させている責任をどうとるのだ！」といった論調のコメントも少なからずいただいた。学生時代の友人からの同旨のコメントを見つけて、内心しばらく落ち込んでいた。

前日に引き続き、藤田医科大学岡崎医療センターへの搬送オペレーションが自衛隊、警察、DMATなどの協力により行われ、無症状陽性者19名およびその方々のご家族・同行者6名が搬送された。前日のオペレーション時に、到着後救急搬送された方が発生した反省を踏まえ、無症状の方であっても事前に酸素飽和濃度を測定して、スクリーニングを行うこととされた。

夜のリーダー会議では、この日の検疫終了による下船者は443名であったこと、藤田医科大学への搬送オペレーションのこと、JMATによる乗員の健康チェックが概ね終了し、翌20日から自衛隊医官の協力により、同じ場所でスクリーニングのための乗員の検体採取を行う準備を行ったことなどが共有された。なお検疫終了による下船者は当初の予定人数より若干少なかったが、下船後の帰国のための交通手段の関係や、自国のチャーター便での帰国のため下船せず待機をしたものと考えられた。また厚生労働省の支援チームからは、乗客全員の下船終了後は1,000名の乗員への対応がメインとなること、引き続いての支援体制の確保が検討課題となることなどが発言された。

また船長ミーティングでも同様の内容について報告し、またこの頃からオーストラリア、香港、台湾、カナダ、イスラエルといった国々へのチャーター便のための下船予定も相次ぐため、それらについての情報共有が厚生労働省、防衛省、および船側で行われた。また船長からもYouTube動画について言及があり、船が認めていない人間が乗船していることは船の管理上許されない旨、注意された。また今後乗員の下船の段取りが焦点となる中で、船橋のスタッフや機関士など船の運用上最低限必要な人員（ミニマムマンニング）については、他の人員が全員下船した後、最後に下船することが伝えられ、このことを念頭に乗員の下船の手順を検討することとなった。

この日、厚生労働省はニュースリリース「横浜港で検疫中のクルーズ船内で確認された新型コロナウイルス感染症について（第13報）」を発出し、19日に607名の検査結果が判明しうち79名が陽性であったこと、累計で3,011名中621名が陽性であったことを公表した。また、藤田医科大学岡崎医療センターへの無症状者の搬送についてもニュースリリースで公表された。

また国立感染症研究所は、「現場からの概況：ダイアモンドプリンセス号におけるCOVID-19症例」を掲載した[8)]。この中には「クルーズ船乗員乗客の発症日別COVID-19確定症例報告数」（図3）および「クルーズ船乗客乗員のメディカルセンター訪問日別発熱患者数」（p.14図2）のグラフが提示された。前者は2月7日を境に船内乗客の発症が減少に転じていること、後者は1月21日の横浜出航以降、船内メディカルセンターには発熱患者が毎日訪れており増加傾向にあったことが示されている。

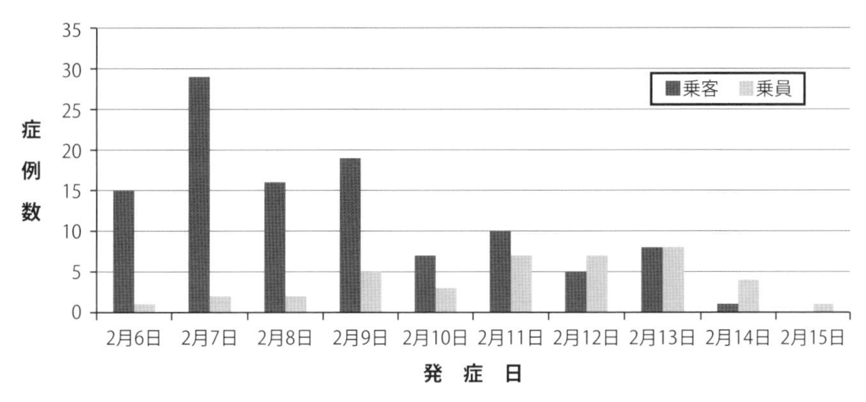

（出典：国立感染症研究所[8]）

図3：2020年2月6日から17日におけるクルーズ船乗員乗客の発症日別COVID-19確定症例報告数（n = 151）

これらは、横浜出航から帰港までの間に感染が徐々に広がっており、他方、検疫開始後の乗客の客室待機は一定の効果があったことを示唆するものである。

またこれを受け厚生労働省本省では19時から第2回新型コロナウイルス感染症対策専門家会議が行われ、席上にて資料5[38]として上記の2つのグラフが示された。議事概要[39]によると、「クルーズ船における感染者の発生は2月15日以降、ほとんどなくなっている。これは、ほとんどの感染者は2月5日以前に感染しているということを示す。ただ、残念ながらクルーの感染は少し増えてしまっているという事実がある」などの発言があった。

船内においては既に新規発熱者数が目に見えて減っており、発熱者対応に関しては一時の慌ただしさが嘘のように落ち着いていた。こうした数値についても公表すべきではないかという意見も本省には具申してはいたが、結果としてYouTube発信後になってしまったことは、情報公開が後手後手だったという批判は免れないであろう。

検疫終了による下船・二日目

20日朝、ダイヤモンド・プリンセス号内の本部に到着すると、ダイヤモンド・プリンセス号から医療機関に搬送し入院されていた80歳男性の方が亡くなられたと正林審議官から報告があった。乗船時から、いつかこの日が来るだろうとは覚悟しており冷静に受け止めたが、やはり気の重い一日のスタートとなった。またこの日にもう1名お亡くなりになった。さらに船内支援チームとして派遣されていた厚生労働省および内閣官房の職員それぞれ1名ずつが、PCR検査を受けて陽性だったことも報告を受けた。この2名については、サボイ内の対策本部事務スペースにてしばらく1例目の職員と一緒に仕事をしていたため、事務スペースにおける接触感染か食事中の飛沫感染だったのではないかと橋本は推測している。手指の消毒やマスク着用の徹底、消毒用シートなどによる机やスイッチ類などの清拭について、改めて注意喚起がされた。

リーダー会議および船長ミーティングでもまずこれらのことを報告した。アルマ船長も冷静に受け止めている様子だった。後ほど、物故者が出たことについては船内放送でも船長からアナウンスされた。一方で船長からは、前日から用意していた乗員の検体採取について、船会社との確認が取れていないため待ってほしいとの要請があった。船長ミーティング後に自見政務官が船会社の医師と電話で意見交換を行ったところ、清潔を維持するために場所を変更してほしいという要望があり、結局15階サン・デッキの大浴場「泉の湯」に検体採取会場を設営し直して、15時から開始することになった。

この日も検疫終了による下船が行われた。朝に自衛隊の方々が荷物の回収を行い、検疫期間を終えられた方々がアナウンスにより順次船首部のギャングウエイからターミナルまで歩いて下船していかれた。なお下船時にお渡しする健康カードについて、本省の指示によりこの日から再び内容が差し替えられた。この差し替えにより、検疫終了による下船者についても2週間は健康状態を毎日チェックしかつ不要不急の外出を控えることを要請し、厚生労働省から電話などで定期的に健康状態の確認を行う旨が示された。なお後のことになるが、度重なる健康カードの改訂のため、実際には20日以降も改訂前の健康カードが誤って配布されていたことが明らかになった[40]。もっとも、直後に当事者や自治体に対して改めてフォローアップの依頼を厚生労働省から行っていたため実害はなかったものと考えられる。時間が限られている中、現場としては作業に手戻りを生じさせるような差し替えなどについては、極力控えてほしいとは思わざるを得なかった。

船内写真のアップと削除

この日の午前中、厚生労働省から資料「クルーズ船『ダイヤモンド・プリンセス号』内の感染制御策について」[41]が公開された。感染症専門家の方のYouTubeへの動画アップを受け、船内の感染対策について説明するために作成されたものだ。日本環境感染学会の災害時感染制御支援チーム（DICT）や大学病院などの専門家に厚生労働省から依頼してコンサルテーション及びラウンドを実施していただいていること、乗客乗員の理解と努力を得ながら、船内の区域管理（ゾーニング）などの感染管理や検疫官・医療従事者などの感染防御に取り組んでいることが記されている。

この資料の厚生労働省webサイトへの掲載を受け、橋本は周知拡大のために自分のFacebookやTwitterにURLやテキストを転載した。その上で「ゾーニングについて検体採取等で汚染したガウン等の感染防具を脱ぐゾーンは設けられ、その他の業務区域と明確に分離されています」という記載だけでは意味が分かりにくいかと思い、当該場所（医療チームの拠点であるヴィヴァルディの入り口部分）の写真をアップした。

その後、本省の鈴木医務技監より橋本に電話があり、ダイヤモンド・プリンセス号内の環境調査を行いたいとの相談があった。そこで橋本は船長室に赴いて船長に許可を取り、ターミナルにおられた国際医療福祉大学の和田耕治教授に依頼して実施計画を立てていただくよう調整した。この調査はその後国立感染症研究所に引き継がれ、22日から開始された。検体採取などには研究者ならびに検疫官が協力して行い、結果は後日国立感染症研究所が公表している[42)]。

そうしたことで船内外を歩き回っていたら、自見政務官から、橋本がアップした写真がTwitterなどでいわゆる炎上状態になっており、表現が混乱を招いているため消した方が良いのではないかということを言われた。自分の投稿を確認してみると、既に多数のコメントやリツイートがなされ、まさに炎上していた。主な内容は、写真場所の手前側ないし奥側が明確に区分されておらずゾーニングの意味がないのではといった指摘や、「清潔ルート」「不潔ルート」と張り紙に記されていた言葉遣いが適切さに欠けるのではないかといったものであり、YouTube動画や多数にわたる陽性者の発表、厚生労働省支援チームからの感染者の発生といった事実とあわせ、轟轟たる非難を巻き起こしてしまっていた。

改めて思い返せば、そもそもクルーズ船内ゆえ構造上可能な限りの手当て以上の対応は不可能であり、船内の図面などを示して写真の場所においてどのような趣旨でどのような運用のもとルート分けを行っていたのか解説を付した上で写真もその参考として示せば、その手段について適切かどうか前向きな議論に繋がったかもしれない。また清潔・不潔という言葉遣いも、実は医療関係者間では自然に受け入れられるものであり（例えば田村浩一氏のエッセイ[43)]などを参照されたい）、まさに医療関係者の拠点における掲示であったため深く考えていなかったが、社会に出した際に問題になりうる言葉遣いであったことには、配慮が欠けていたとも思う。そうした考慮なしに写真のみをアップした結果、さまざまな予断を与えうる投稿となってしまった。そのためダイヤモンド・プリンセス号における検疫対応全般に対する不信と非難に繋がり、全てのご関係の方々に不安を招くこととなった。不適切な投稿であったと深く反省している。

ただその時点では、改めて意図やゾーニングの状態について補足説明の投稿をすべきかどうかも検討したが、既に国立感染症研究所や厚生労働省から船内の感染対策やその結果効果が見られたことを示唆するグラフは公表されていること、また現場責任者としての職務も抱えながら自分ひとりでこのネット上の大混乱の収集にあたることは困難と判断せざるを得なかったため、まずは当該投稿を削除し、当面は直面する現場業務に専念することとした。

乗員の検体採取開始

15時から大浴場「泉の湯」にて乗員の検体採取が開始された。翌日まで続行され、船長以下最低限船の運用に必要な方々を除く、ほぼすべての乗員がPCR検査を受けることになった。なお残りの乗員は、不在とすることができないため、検体採取は下船前日に行うこととなった。

船長から不審な人物が乗船して写真撮影をしていると正林審議官に突然連絡があった。自見政務官および正林審議官で船長室に確認に向かったところ、乗員の感染対策支援に従事していた国際医療福祉大学の和田教授らが、乗員の衛生教育の教材づくりのために写真撮影をしていたということであり、船長に説明して勘違いを解消して事なきを得た。YouTube動画に船側もピリピリしていたことが伺える。

なお和田教授らは、業務を継続しなければならなかった船側と連携し、乗員の居室、食堂、洗濯場などの作業場所やバックヤードについて船医とも相談しながら感染対策にあたっていた。また、乗員から乗客への感染のリスクを最小化する対策などを行っていた。当初は食器も洗ったあとに乗員がナプキンに巻いて出していたが、その際に手が触れるということで、使い捨ての食器に変わっていった。食事の受け渡しの感染対策も確認をしていた。また、乗員同士の感染についてN95マスクの使用や健康管理について発熱者の管理などがきちんとできているかチェックを行った。船側の依頼で乗客を乗せるバスの感染対策などにも助言を行った。

夜のリーダー会議では、藤田医科大学岡崎医療センターには無症状者 26 名、家族 16 名が搬送されたこと、当面藤田ミッションについては今日までとされることが厚生労働省から報告された。またこの日の検疫終了による下船は 274 名であったこと、翌日の検疫終了による下船者のリストについては未だ本省とのやりとりのため整理中であること、自衛隊から乗員の検体採取は 15 時の開始以降は順調に行われたことなどが報告された。JMAT がこの日で活動を完了することも報告された。また、イスラエルがこの晩、カナダ、台湾、イギリス、イタリアが翌 21 日に下船を予定していることが共有された。船長ミーティングにおいても、検疫終了による下船者数や乗員検体採取数などについて確認が行われた上、今後の焦点が乗員の取り扱いであることなどが共有された。

なおこの日、厚生労働省はニュースリリース「横浜港で検疫中のクルーズ船に関連した患者の死亡について」により、2 名の方が下船後医療機関において亡くなったことを発表した。また「横浜港で検疫中のクルーズ船内で確認された新型コロナウイルス感染症について（第 14 報）」を発出し、20 日に 52 名の検査結果が判明しうち 13 名が陽性であったこと、累計で 3,063 名中 634 名が陽性であったことを公表した。また、藤田医科大学岡崎医療センターへの無症状者の搬送についてもニュースリリースで公表された。

検疫終了による下船・三日目

翌 21 日のリーダー会議では、引き続き自衛隊医官による乗員の検体採取を行い、この日で自衛隊医官と薬剤官が船内活動を終了すること、検疫終了による下船が引き続き行われることなどが共有された。また厚生労働省本省から、検疫終了による下船に係る PCR 検査の方針を変更するという話が来たことが紹介されたが、下船開始 3 日目にして突然の変更であり、橋本が本省と再調整することで引き取った。また乗客については、陽性の方の搬送および陰性の方の検疫終了がそれぞれ進んだことで、船内には濃厚接触者（陽性の方の同室で陰性の方）が残られる状態であったが、その方々の行き先（税務大学校の寮）が確保されたため、22日に移動することが示された。船長ミーティングでも検疫終了による下船者や濃厚接触者のオペレーションなどについて情報共有された。特に船長側からは、濃厚接触者が移動すると乗客が全員下船したことになるため、サービス提供の面で乗員の負担を軽減できることから、必ず22日に下船させるよう話があった。

午前中、PCR検査の方針変更について、改めて鈴木医務技監に橋本から電話をかけた。これまで検疫終了に係る下船について、客室待機が開始された2月5日以降に行われたPCR検査で陰性であることを条件の一つとしていたが、2月10日以降のPCR検査のみを有効とし、2月5日～9日までのPCR検査により陰性であった方についてはもう一度PCR検査を受けてその結果陰性であれば下船できることとすべし、という内容であった。最初の5日間はすり抜けのおそれがあるという理由とのことだが、橋本としては承服できなかった。新型コロナウイルス感染症のおそれがないという下船条件の設定にあたっては、潜伏期間とされている14日間の待機と健康チェックで発症がないことの確認を核心と考えており、PCR検査はその上で安心のために条件に加えることにしたという経緯があった。単にPCR検査の陰性だけを下船条件にしたわけではないのである。その上、19日から既に下船された方々がいるのに、たまたま最後に残った方だけがさらに数日下船が先延ばしされるということを説明して納得を得られるとは到底思えなかった。もちろん、乗員の検疫もその数日分だけ開始と終了が遅れることになる。医務技監は「対象者はあまり多くないし、1～2日延びるだけですから」と言ったので、いささか感情的になって「そっちからするとたかが数名かもしれんが、こっちは毎日3,711名一人ひとりの人生を毎日一日ずつ削ってるんだ！数人だからいいなんて話は承服しかねる！！」と怒鳴っていた。深呼吸をしてちょっと落ち着いて議論した結果、

「10日以降のPCR検査の陰性が望ましい」という線で合意し、9日以前のPCR検査結果による下船対象の方にはもう一度PCR検査をするか希望をとる（その分結果が出るまで客室待機が続く）という運用とすることになった。

またその後、濃厚接触者の税務大学校寮への移動の支援について防衛省の町田審議官と相談し、大坪審議官と町田審議官で計画を具体化するよう依頼した。

香港へのチャーター便出発

15時すぎ頃、自見政務官からターミナルに急いで来るよう連絡があった。この日は二便目の香港チャーター便の出発が予定されていたが、混乱があったようであった。駆けつけてみると、一部バスが出発していたが残りは駐車場に待機しており、そこで香港経済貿易代表部の方、立ち合いに訪れた外務省の職員、自見政務官や大坪審議官をはじめとする厚生労働省の支援スタッフが額を突き合わせて議論を行っていた。対象者として下船したのに、厚生労働省が用意する下船証明書がない方がおられ、下船証明書がないとチャーター機に乗せられないことが発覚し対応を協議していたということであった。既に数台のバスが羽田空港に向けて出発しており、まだターミナルの駐車場に待機しているバスも何台か残っていた。橋本も代表部の方と共に待機中のバスに乗り、日本政府の代表として現状の説明を行ったが、もしかしたらまた船の中に戻らないといけないかもという話になった途端に下船者の方々が怒り出し、代表部の方と中国語で激しく怒鳴り合い始めたのでかなりハラハラした瞬間もあった。結局、自見政務官、大坪審議官とともに羽田空港まで出向き、現地で代表部の方と名簿の突き合わせ作業を行い、下船証明書が発行できる方については羽田空港内の東京空港検疫所支所においてプリントアウトして証明書を追加的に手渡し、ほぼすべての方に出国していただくことができた。濃厚接触者であったことが判明し出国できなかった方が2名おられたが、この方々は検疫所が準備した宿泊施設に宿泊していただき、後日他の濃厚接触者の方々同様に、税務大学校の寮に移動して個室待機を継続していただいた。こうした手配にひと段落がついて橋本らが横浜に戻ったのは、深夜であった。

この混乱の原因は、日々順次PCR検査結果が判明していく中で、香港代表部が下船対象として船から事前に入手して持っていた下船者リストと、厚生労働省が下船証明書用に直前に作成した下船者リストが、時点的に異なってしまっていたことによるものではないかと考えている。

なおこの日、検疫終了による下船者は252名を数えた。

濃厚接触者の移動と終了条件の検討

22日朝のリーダー会議では、乗客のうち濃厚接触者の方およびPCR検査は陰性であっても発熱などがあったため検疫終了できなかった方の税務大学校の寮への搬送がこの日の主要な対応であること、船側から23日正午をもってゲストサービスを終了する予定であること、またそれに伴いどのような医療体制になるのか検討が必要であること、環境調査の検体採取が今日から開始されることなどが共有された。船長ミーティングでも、同様の確認が行われた。船長からも翌23日正午をもってゲストサービスを終了することが示され、以後は食事も陸上から供給されることが伝えられた。

濃厚接触者の税務大学校寮への移動については、合計89名が午前と午後の2便にわかれて下船し、自衛隊のバスおよび荷物用トラックなどの隊列を組んで大黒ふ頭を出発していった。

午前のバスが出発した後、厚生労働省本省から正林審議官に連絡があり、ウイルスが環境中において一定期間生存可能ではないかという意見が会議であったため、同室者の健康観察期間をその時点で想定されていた14日間からさらに1週間程度延長するという方針変更が突然伝えられた。これも現場にとっては寝耳に水であった。一定の必要性は認められるものの、当時どの程度新型コロナウイルスが環境中で生存できるか知見が無い中でいきなり期間を1.5倍に伸ばすというのは、とても対象とされた乗客乗員の方々の納得を得られるとは思えなかった。橋本も加藤大臣に連絡して確認を求めたが「決めたことだから」と取り合っていただけなかった。そこで自見政務官が船内から感染症対策の専門家の方々に直接連絡を取り、24時間程度でよいのではないかという意見を取りまとめて加藤大臣と重ねて議論を行い、最終的に14日＋24時間とする方針で決定された。度重なる本省からの突然かつ直前の方針転換には、理由のあることとはいえ、かなり振り回された感覚があったのも否めない。

昼から検疫終了による下船が行われ、チャーター便での出国の方を含めて40名が下船した。

乗員検疫の課題

乗員の検疫については、17日に橋本が厚生労働省に向かい本省と議論して対応を求めてきたが、その後引き続き主に本省で検討や調整は進められてきた。

乗員の検疫実施には、乗客と異なる課題があった。船内に滞在している限り、誰かが船の機能維持や食事や生活のサーブを行う必要があるもののその目途が立たないため、同時に乗員全員を船内居室待機にはできないことである。したがって最終的には全員が陸上の施設に移動して、別の誰かに食事の提供などのサービスを行ってもらう必要がある。しかし、やはり1,000人近くの乗員の受け入れが可能な施設もまだ準備できなかった。ただ当時、武漢市からのチャーター便の帰国者が政府宿泊施設から退所し始めており、時間の経過に伴って徐々に受け入れキャパシティは拡大する状況であった。また乗員のうち約3/4程度がフィリピン、インド、インドネシアの出身者であり、それぞれの国からチャーター便を飛ばす計画があった。したがってこの三か国出身の乗員が下船すれば、陸上施設への移動と個室待機が可能になる人数になるものと期待された。しかし相手国の都合もあり、なかなかチャーター便のスケジュールが確定しなかった。

また最終的には船長以下全乗員が下船して検疫を受ける必要があるが、ダイヤモンド・プリンセス号の維持のため、ミニマムマンニングと呼ばれる最低限の人員約30名については、代替要員を船会社が用意する必要があった。しかし船会社は新たな船員を集めるのに苦慮しているようであった。同時に、政府宿泊施設における乗員の個室待機については、日本政府としては船内同様に船会社が費用や人員を負担すべきと考え、船会社と交渉にあたっていた。しかしこの交渉も徐々にしか進展しなかった。

こうした複雑な事情が込み入っており、乗員の検疫についてはなかなか具体化することができずにいた。その中で現場としては、19日から乗員全員の健康チェックおよびPCR検査を行い、まずは健康不安の解消や感染者の発見と搬送を優先してきた。あとは本省に連絡して交渉の進捗などを確認し、催促し続けていたというのが実情である。

なおこの日、厚生労働省から派遣されている職員のもとに、追加の職員派遣は、以降はなくなる旨の通知が本省官房長名であった。乗客もほぼ下船し乗員も陽性者の搬送が進んでいたため業務は徐々に減ってはいたが、本省から見捨てられていたようにも感じられ、正直いささかへこんだ。

夜のリーダー会議では、検疫終了による下船および濃厚接触者の税務大学校寮への移動によりほぼ乗客が下船したこと、しかし乗員は1,000名近くまだ乗船しているため、これまで以上に各チーム間の連携が必要である旨共有された。また乗員のうち検体採取ができていない方について厚生労働省および検疫所で検体採取などを引き続き行うこと（自衛隊医官は21日で活動を終了）、DMATは夜間体制を縮小しつつ引き続き対応にあたることなどが報告された。また船長ミーティングでも同様の確認とともに、橋本からは船会社に対して交渉の加速をするよう船長から伝えていただくよう依頼した。

船長ミーティング後、厚生労働省のスタッフでの打ち合わせにおいて、今後の業務の確認とともに、支援チームの体制についても縮小の方向で検討するように話をした。

客室の消毒作業

翌23日もリーダー会議から活動を開始した。乗客は搬送待ちの1名のみとなり乗員の検体採取も概ね終了していたため、その取りこぼしの確認が当面の仕事となり、かなり落ち着いた雰囲気となった。船長ミーティングでは、午後にフィリピン、インド、インドネシア各国の大使館員とチャーター便について打ち合わせをすること、救急搬送された方々の荷物が客室に残っている課題があることなどが議論された。

アルマ船長からは、客室の消毒について依頼があった。既に客室はほぼ空となっている一方、乗員で発熱などのため個室隔離されている方については、窓もない乗員用の居室に長期滞在となっているため、彼らを数日間でも大きな窓もある快適な客室に移してやりたいという意図であった。その気持ちにうたれ、支援チームで作業を引き受けることにした。

サボイに戻り、実施について調整した。自衛隊は救急車などを除いて大半の人員が撤収していた。そこで支援チームのうち厚生労働省、検疫所、日本赤十字社から人員を出し1チーム2名編成で13チームの作業チームを編成した。船側と相談して、10階カリブデッキから検疫終了による下船者の部屋を選び、各作業チームに割り振りをした。作業リーダーには厚生労働省の志村幸久参事官を指名し、占部秘書官を補佐につけ、作業内容や使用物品の船側との調整や作業の進捗管理をしてもらうことにした。橋本、自見政務官、正林・大坪両審議官も交代しながら作業チームに入った。

作業は全員フルPPE着用で行った。和田教授ら専門家の指導を受けながら防護服を着、ゴム手袋を2重にはめ、N95マスクを着用し、フェイスシールドを着用し、靴カバーも装着した。全身白づくめで誰が誰かわからないため防護服にペンで名前を書き、メモ代わりに担当する客室の番号も防護服に書いた。手袋は部屋ごとに交換した。また各作業チームには石鹸水入りのバケツ、拭い取り用クロス、消毒液などが準備された。作業内容は、部屋に残されている食器や備品、ゴミなどの撤去、トイレやふろ場の清掃、タオルやシーツなどリネン類の撤去、電話・手すり・ドアノブ・スイッチ類・机上・窓枠・ベランダの椅子や手すりなど触る頻度が高いと考えられる場所の消毒液での清拭などであった。廊下に出したゴミやリネンなどは乗員が回収にあたった。部屋に残されていたiPhoneは回収して廊下に出しておいた。

フルPPE着用での消毒作業はかなり重労働であった。部屋に入ったらまず窓を開け2月の涼しい風を部屋に通したが、それでもしばらく動くと汗をかく。午前・午後で1チームそれぞれ5～6部屋程度の消毒を行ったが、ひと段落ついて、エレベーターホールにて専門家の指導を受けながらPPEを脱ぐと、2月にも関わらず汗びっしょりになっていた。さらに続けようとすると「やめてください！労働安全衛生上認められません！」と労働畑の長い厚生労働官僚らしい表現で志村リーダーに引きとめられた。

客室には、しばしば乗客の書き置きメモが残してあった。客室担当の乗員に宛てた感謝の言葉が多く、検疫中も含め、乗員がいかにホスピタリティをもって乗客に接していたかが十分に偲ばれた。ウイルスの侵入さえなければ、ダイヤモンド・プリンセス号のクルーズ旅はさぞや快適で楽しいものであったのだろう。検疫により辛い体験になったとしてもなお感謝の言葉が残せるというのは、そういうことだと感じた。支援チームやiPhoneについてのお礼のメモもあった。残念ながらメモもすべて処分せざるを得ず、心を痛めながらの作業であった。一方、陽性が判明して医療機関に搬送された方の客室のドアには、誤って立ち入ることを防ぐためか「COVID-19+」と書いた張り紙がされており、感染の蔓延があった船内である恐怖も、改めてひしひしと感じた。

消毒作業は午前・午後と約2時間ずつ行われ、合計126室が消毒された。

夕方のリーダー会議では、清掃作業の報告に加え、最後に残られた乗客が医療機関に搬送されたこと、フィリピンが 25 日、インドおよびインドネシアが 26 日にチャーター便を飛ばす予定であることなどが共有された。環境調査のための検体採取も終了した。また船内の状況が落ち着いてきたことから、翌日以降は朝のリーダー会議は 8 時から行うこととなった。船長ミーティングでは、清掃作業については喜ばれたが、その上でさらに 50 室程度ほしいという要望もいただいた。また、2 月 5 日から検疫に協力してきた乗員の検疫をできるだけ早く開始したい、そのために宿泊施設の準備が整い次第順次乗員を移動させてほしい旨のお話もあった。明日にも本省と船会社の合意ができるよう指を交差させる（幸運を祈る）よ、とおっしゃっていた。できるだけ早く、これまで努力してきた乗員をいたわりたいという船長の気持ちには、改めて感銘を受けた。

この日、厚生労働省はニュースリリース「横浜港で検疫中のクルーズ船に関連した患者の死亡について」を発出し、三例目の亡くなられた方について公表した。またニュースリリース「横浜港で検疫中のクルーズ船内で確認された新型コロナウイルス感染症について（2 月 23 日公表分）」を発出し、19 日から 21 日の間に検体採取が実施され結果が判明した PCR 検査結果について、乗員について 819 名中 55 名が陽性、乗客について 12 名中 2 名が陽性であったことを明らかにした。

Ⅰ-5．乗船三週間目（2月24日～3月1日）

サービス停止後の船内

朝いつものように大黒ふ頭に来ると、少し雰囲気が違っているようだった。これまで、ふ頭敷地の柵越しにダイヤモンド・プリンセス号を取材していたカメラマンなどが、すっかりいなくなっていたのだ。乗客の下船はほぼ終了しているとはいえ、まだ船内には1,000人近い乗員が残っている。しかしもうメディアの関心はなくなったということであろうか。検疫の対象としては乗員も乗客も変わることはなく、いささか釈然としない思いがした。一方、ギャングウエイから船内に入ると、船内の空気もいささか違っていた。アトリウムやデッキなど各所で乗員がくつろぎ、スマホを触ったりしている姿も目に付くようになったのだ。前日で乗客が全員下船し正午をもってサービスが停止されたためだ。普段目にすることのないクルーズ船内の休日の姿は興味深かった。もちろん、本来は乗員も速やかに個室待機にして健康観察期間を始めるべきである。乗員の施設滞在に関する政府と船会社の合意は結ばれていた。橋本からは25日からでも入れないか厚生労働省本省に掛け合っていたが、施設側の準備にはまだ数日かかるとのことであった。そのため、PCR検査で陽性ではなかった乗員たちにとっては、ゆったりした時間を数日間過ごしていただくことになった。

朝8時からになったリーダー会議でも、現状が確認された。週末のため医療機関の受け入れ態勢が整わないため陽性者の搬送は停止されているが、週が明けたら再開する。その際、前日に体温測定と症状の確認を本人に依頼し、問題がない場合は改めて出発時に酸素飽和度の測定と体調の確認を行い、藤田医科大学岡崎医療センターに自衛隊のバスで搬送するという段取りとすること、発熱や酸素飽和度の低下などがある場合は個別に医療機関に搬送するという方針がDMATから示された。濃厚接触者を含む陰性の方は、フィリピン、インド、インドネシア各国のチャーター便による帰国者と、税務大学校の寮に移動して検疫を開始または継続する人に分かれる。よって、チャーター便及び寮の準備を待たなければならない。とはいえ、逆にいえば、それらの準備が整い全ての乗員が下船すれば、厚生労働省としてもこのミッションは終了となるのだ。やっとその道筋が見えてきた。

朝の船長ミーティングでは、全乗員のPCR検査の結果、陽性率が916名中64名と約7%であったことが確認された。症状のある方は既に救急搬送されて除かれていた結果でもあるが、それでも予想外に低かったことは、乗員の方々の感染防止の努力の成果とも思われた。支援チームの人数が少ないため前日の50室の消毒要望の達成は困難と思われたが、できる限りの体制で再び実施することとなった。また折角消毒済みの部屋ができたので、濃厚接触者の部屋の移動を早めにしていただくようにお話をした。

この日は午後に、再び厚生労働省や日本赤十字社の支援チームから、作業チームを編成して客室の消毒を行った。再び橋本や自見政務官も参加したが、乗員たちは明らかに寛いでおり、空気が和らいでいた。クイーンの「ボヘミアン・ラプソディ」を流しながらワゴンを押して廊下を歩いている乗員がいたので、カタコトの英語で「その曲いいよね！」みたいな会話を交わしたりもした。この日は17室を消毒した。

夜のリーダー会議では、病床確保の状況や今後の段取りなどが共有された。またメディカルセンターについては、既に新規発熱者数が0の状態になっていたが、新型コロナウイルス感染症以外の傷病も含めて救急搬送に引き継ぐための体制を維持する必要があることが確認された。メディカルセンターを支援している日本赤十字社の方々も26日まで延長していただくことになった。またこの日から、国立病院機構仙台医療センターの医師が乗船し、DMAT活動を支援することになった。

船長ミーティングでも同様の体制の確認をした。藤田医科大学に搬送される方々は午前中に出発するので、ランチを早めに摂っていただくことにした。また税務大学校寮の準備は27日になる可能性があることをお伝えした。船長からは、乗客乗員が下船した後の部屋に人や荷物が残っていないかドアをノックして確認する必要があり、日本側から人員を派遣できないかと相談があった。1,550室ほどもあるため、支援チームも人員が減ってきており困難であるとその時は一度お断りした。しかし後に乗員に検疫官および感染症の専門家チームが同行する形で支援した。

この日、厚生労働省はニュースリリース「新型コロナウイルス感染者について（検疫官）（情報提供）」を公表し、ダイヤモンド・プリンセス号内で対応にあたっていた検疫官1名が新型コロナウイルス感染症に感染したことを公表した。

フィリピンからのチャーター便による下船

翌25日朝のリーダー会議では、フィリピンからのチャーター便のフライトのため、午前午後の二便に分かれて乗員約450名が下船すること、検疫終了による下船などにおいて乗客の荷物が残っているものがあったが代理店に引き渡し済みであること、乗員の検疫継続者の税務大学校寮への移動が26日から一部開始できそうであることなどが共有された。

船長ミーティングでもそうした状況の確認がおこなわれた。また船長からは、旗国であるイギリスに報告する必要があるため、ダイヤモンド・プリンセス号が検疫中である旨の厚生労働省の文書が欲しいという要望があり、本省と相談して対応する旨お返事した。

これまでのチャーター便と異なり、フィリピンに向かうチャーター便はほぼすべて若い乗員の方であり、日本側支援チームが手伝うことは特になかった。対象となる乗員が下船する前に、6階フィエスタ・デッキ前方のプリンセス・シアターにてアルマ船長が下船者に挨拶をすると聞き、厚生労働省からも感謝の意を表するために橋本、自見政務官、大坪審議官で参加した。船長からは、乗員に対し「君たちはこの旅の真のヒーローだった」と賛辞を贈り、今後の無事を祈る旨のスピーチがあった。またその中で、厚生労働省から検疫にご協力いただいた謝意も伝えていただいた。その後“I'll take a selfie with all of you.”と呟き、舞台上でスマホを出して観客席の乗員たちを背景にしながら記念写真を撮影していた。乗員からは大きな拍手と歓声が起こった。心温まる出発のセレモニーだった。そして乗員たちは自分で荷物を持って、スムーズに下船していった。昼間の出発だったので、午前午後と二便にわたり、橋本や自見政務官も大黒ふ頭に降りて、手を振ってバスの出発を見送った。厚生労働省にとっても、乗員の方々の働きなくしては検疫を行うことはできなかったわけであり、せめて故国ではゆっくり過ごしていただければと願わずにはいられなかった。ギャングウエイの警備を担当し毎日挨拶を交わしていた乗員がバスの中から手を振り返してくれた。各地の自衛隊基地名が書かれたバスが、何台も連なって大黒ふ頭を出発していった。

夜のリーダー会議では、藤田医科大学岡崎医療センターに20名が搬送された他、陽性者の搬送を再開したこと、フィリピンチャーター便により乗員441名が下船したことが共有された。また翌26日の予定として、同様に藤田医科大学にバスを出すこと、インドへのチャーター便の下船が夕方行われる予定であること、検疫官が同行して部屋の目視確認が順次進められていることなどが報告された。ただインドネシアのチャーター便については、受け入れ側の都合により変更の可能性があり、明日飛ぶか雲行きが怪しいという報告もあった。また税務大学校寮への乗員の移動は27日から開始されることが共有された。

船長ミーティングでも同様の状況の確認が行われた。乗員の税務大学校寮への移動に伴いメディカルセンターの医師や看護師も不在になると、万一の際に困ることになるので、その対応について協議された。また乗員の船内での隔離について、既に14日間を過ぎている者の検疫解除基準について議論が行われた。

この日、厚生労働省からはニュースリリース「横浜港で検疫中のクルーズ船に関連した患者の死亡について（4例目）」が発出され、9日にダイヤモンド・プリンセス号から医療機関に搬送された80代男性の方が亡くなったことが公表された。またニュースリリース「横浜港で検疫中のクルーズ船内で確認された無症状病原体保有者の搬送について」にて、藤田医科大学への搬送も公表された。

客室での休業

26日朝のリーダー会議では、結局インドのチャーター便は予定通りだが、インドネシアのチャーター便は延期となったこと、税務大学校寮への移動は受け入れ側の都合のため27日、28日で約100名ずつに分けて行うこと、交代要員手配の都合により、船長など船の維持に必要な人員の下船は3月1日になることが報告された。また、下船した方のiPhoneで部屋や廊下に残されているものの回収をする必要があったが、そのために荷物運搬用の台車を借りる依頼を行った。

ミーティングなどがひと段落して、サボイの定位置に戻った。なんとなくぼんやりして身体が火照っているような気がすることに気付いた。そこで念のためのつもりで検温してみることにした。37.2℃だった。微熱とはいえ、普段より高いことには違いがない。当時厚生労働省が示していた医療機関受診の目安は「37.5℃以上の体温が4日間続くこと」だったためその基準にはあたらないが、しかし微熱でPCR検査を受けたら陽性だった例が支援チームの厚生労働省職員でもあった。そういえば数日前に、朝リーダー会議で議論した乗員の方が、その日に陽性が判明し、下船して医療機関に搬送されるのを見送ったばかりでもある。

乗船した時から、いつか自分が感染するかもという覚悟はしていたつもりではあったが、やはりどうしたらよいかよくわからない。とりあえず医師である自見政務官と大坪審議官に相談したところ、口を揃えて「まず休んでください」とのこと。とはいえ、感染を疑いながら横浜市内のホテルに戻るわけにもいかない。そこで、先日消毒した客室のうち空いている部屋を一室借りて休むことにした。

これまでずっとダイヤモンド・プリンセス号に乗ってはいたが、客室に入る機会は先日の消毒の機会までなかった。ましてやクルーズ船での宿泊は人生で初めてである。とはいえ客室に入ってしまえば、窓の外が横浜ベイブリッジの下を船が行き交う港景色であることを除けば、立派なホテルの一室といった趣である。ただし消毒の際にベッドのリネンは外しており、新たなシーツ類が畳んで置いてあったので、ベッドメイキングは自分で行った。とりあえず作業服を脱いで楽な恰好になり、持参してきたお昼代わりのパンを食べ、ベッドに横になった。毎日宿泊するビジネスホテルのベッドと比べてとてもフカフカして気持ちよく、さすがクルーズ船のベッドは違うなどと思いながら、すみやかに眠りに落ちた。

眼が覚めたら15時頃だった。気分はとてもスッキリしていた。熱を測ったら36.3℃に下がっていた。どうやら単に疲れていただけのようである。そのことを自見政務官および大坪審議官に報告をしたが、とりあえず今晩はこのまま休んでいることになった。

しかし、実はこの日をもってダイヤモンド・プリンセス号からのPCR陽性者の搬送が完了しており、日本赤十字社支援チームおよびDMATの大半が撤収する日だった。そのため、平熱であることを確認した上で、夜のリーダー会議には着替えて顔を出し、厚生労働省を代表して撤収される方々にお礼のご挨拶をした。またメディカルセンターのスタッフも交えて、アトリウムで記念撮影も行った。

（提供：自見はなこ氏）

図４：医療支援チームおよびメディカルセンタースタッフ

橋本はその晩はそのまま客室に戻り、再び休んだ。その後もこまめに体温は測ったが、以降厚生労働省復帰に至るまで再び36.5℃を越えることはなかった。

なおこの日、厚生労働省はニュースリリース「横浜港で検疫中のクルーズ船内で確認された無症状病原体保有者の搬送について」を発出し、藤田医科大学岡崎医療センターに12名を搬送したことを公表した。またニュースリリース「横浜港で検疫中のクルーズ船内で確認された新型コロナウイルス感染症について（2月26日公表分）」を公表し、22日～25日にかけてダイヤモンド・プリンセス号船内および移動先の政府宿泊施設において検体採取された乗客乗員合計167名中14名が陽性であったこと、延べ4,061名中705名が陽性であったことを公表した。

また、インドへのチャーター機に向けた下船も特段の問題なく行われ、124名の方々が故国に戻られた。

厚生労働省支援チームの段階的撤収

27日の朝は8時半に厚生労働省のミーティングからの活動開始となった。この時点で船内にはPCR検査で陰性となった乗員が残るのみとなっており、税務大学校寮への順次の移動およびインドネシアへのチャーター便での出発を待つだけとなっていた。税務大学校寮への移動は、27日、28日両日にかけて自衛隊のバスにより行う予定となった。また、厚生労働省以外にはDMATと防衛省が限定的な人数で残るのみとなっていた。そこで、厚生労働省も船長との連絡や他組織との調整などに必要な幹部のみを現地に残し、志村参事官以下その他の人員についてはPCR検査を実施してこの日までで撤収させることとした。またサボイ内の対策本部も大黒ふ頭のターミナル2に移し、翌日からターミナルを拠点としつつ船長ミーティングなど必要に応じて乗船することに決めた。

税務大学校寮への乗員の移動は、4便にわたりそれぞれ自衛隊バスにより行われた。手が空いていれば、大黒ふ頭に降りて手を振って見送った。

また支援チームメンバーで手分けして、廊下に出されたiPhoneの回収作業も行った。全長290m弱の広大な船内であり、両舷の客室をiPhoneの箱を回収しながら歩くだけでも結構な運動量になった。なお乗員分のiPhoneは下船時に集められた。回収されたiPhoneは厚生労働省支援チームがターミナルに搬出し、箱やケーブルなどごとに仕分けしてアルコール消毒液を使った清拭による消毒を行った。

18時からリーダー会議が行われ、税務大学校寮に92名出発したこと、明日も6便のバスを出すこと、インドネシアのチャーター便については3月1日の予定であることなどが共有された。その後、志村参事官以下の厚生労働省職員は、PCR検査の結果が全員陰性であることが確認され、ダイヤモンド・プリンセス号におけるミッションは無事完了となった。彼らはその足で都内の宿泊施設などに移動し、14日間の健康観察期間に入った。

この日、厚生労働省はニュースリリース「横浜港で検疫中のクルーズ船ダイヤモンド・プリンセス号からの乗員の下船について」を発出し、PCR検査を実施して陰性であった乗員について、対象者約240名を埼玉県和光市の税務大学校にこの日から移動させ、14日間の健康観察を行うことを公表した。

待機

28日以降は、船内は落ち着いた状態であったが、不測の事態に備えるため、橋本、自見政務官、正林・大坪両審議官および占部副大臣秘書官、横田政務官秘書官の6名および横浜検疫所の検疫官のみがターミナル2の拠点スペースで待機する体制となった。船内に立ち入るのは船長ミーティングやiPhoneの回収、片付けなどの際のみとされた。なお検疫官は乗員の下船の際の体温チェックなどのために船内に立ち入ることはあった。

28日は昼過ぎから船長ミーティングが行われた。3月1日にインドネシアのチャーター便のための乗員の下船が行われることとなり、船長ら最後に残った乗員たちも1日に下船することを想定し、前日の29日に検疫官がPCR検査の検体採取を行うことが確認された。また29日は朝に船長ミーティングが行われ、交代要員の到着が遅れるため船長らの下船が3月2日になるという話があったため、またミッション終了が1日延びてしまうかと思わされたが、夕方には3月1日に交代が可能になることとなり、終了日が確定した。

この日も6便にわたり順次乗員が下船してバスに乗車し、税務大学校寮に移動していった。毎回手を振ってバスを見送った。

また29日午前中には、最後に残っていた船長をはじめとする乗員のPCR検査の検体採取が行われた。またiPhoneの回収ができていないデッキが残っていたため、橋本たちで地道に iPhone の回収に船内を歩き、搬出し、清拭して消毒を行った。なお iPhone はその後厚生労働省から神奈川県に譲渡され、無症候者の宿泊療養施設の連絡用端末として再利用された。

結局 28 日、29 日とも特段の出来事はなく、現地では淡々と後片付けや撤収の準備などを行っていた。

なお 28 日厚生労働省はニュースリリース「横浜港で検疫中のクルーズ船に関連した患者の死亡について（5 例目）・（6 例目）」を発表し、70 代女性の方および英国籍の男性の方の死亡を公表した。

ダイヤモンド・プリンセス号対応最終日の船長アナウンス

3 月 1 日、三週間にわたり通い続けた大黒ふ頭も、いよいよ最終日となった。9 時から船長ミーティングが行われた。まず前日に PCR 検査の検体採取を行ったアルマ船長以下 21 名の乗員たちが全員陰性であったことをお互いに喜びあった。また当日昼からインドネシアのチャーター便のための乗員の下船が行われ、残りの乗員は夕方から 4 台のバスに分散して下船し税務大学校寮に移動することが確認された。その後、船長は乗員に向けて朝の船内アナウンスを行うというので、船長室にて聞くことにした。

船長は、いつものように“Good morning, gladiators. This is your captain speaking from the bridge.”と、なまりのある英語で乗員へのあいさつから始めた。冒頭、先に陽性が判明して医療機関に搬送された乗員たちの動向を話し、昨日検体採取した 21 名が全員陰性であったことを伝えた。インドネシアの乗員の下船および最後まで残った乗員の下船の時刻を述べ、最後まで勤務し続けてくれたことに対する感謝の意を表した。また日本の厚生労働省、防衛省、検疫所を“our friends”と表現し、乗船して支援していたことを紹介した。

その上で、これから船を去り 14 日間の健康観察期間を過ごす乗員たちに対し、先に陸上施設に移った乗員たちと再び団結し、ダイヤモンド・プリンセス・ファミリーの真のスピリッツを示そうと呼びかけた。また、彼女（ダイヤモンド・プリンセス号）は、予期せぬ状況を乗員たちと共に克服したことを誇りに思っているはずだから、笑顔で喜びをもって船を離れようと話した。

最後に、翌3月2日にダイヤモンド・プリンセス号が18回目の誕生日を迎えることを紹介し、"Happy birthday, Diamond Princess! You will always hold a special place in our hearts. Thank you." とアナウンスを締め括った。聞いていた橋本たちも、思わず拍手をする名スピーチだった。最後にダイヤモンド・プリンセス号の記念盾を船長からいただき、船橋で記念撮影をして、お互いに感謝の言葉を交わして船長室を後にした。

（提供：自見はなこ氏）

図5：船橋における記念撮影（3月1日）

その後改めて対策本部の拠点であったサボイを訪れ、備品の忘れ物などがないか確認を行った上で、橋本以下厚生労働省支援チームは、ダイヤモンド・プリンセス号から下船した。そしてターミナル2の拠点に戻り、橋本、自見政務官、正林・大坪両審議官、占部・横田両秘書官および同時に下船した検疫官が、PCR検査用の検体採取をされた。

以後船に立ち入ることはできないため、検査結果が出るまでターミナルで待機して時間を過ごした。69名が下船したインドネシアのチャーター便のためのバスの出発、その後の税務大学校寮へのバスの出発の際には毎回ふ頭に出て、感謝の思いで手を振って見送った。なお大黒ふ頭には船会社によりプレハブが数棟建てられており、交替用の乗員も到着しているようであった。

夕方には、先に検体採取した全員が陰性であるとの結果が出、皆ほっと胸をなでおろした。

“Goodnight, Diamond Princess！”

いよいよ18時、最終のバスの出発時刻である。日没し大黒ふ頭は暗くなっていた。最後まで船に残っていた乗員が下船する番だ。これまでは制服姿で見かけていた船橋の幹部たちが、くつろいだ私服姿で荷物を持って船首部のギャングウエイから三々五々下船してきていた。しかし出発予定時刻を過ぎてもアルマ船長のみが下船してこない。寒い中ではあったが、橋本たち厚生労働省支援チームや防衛省の齋藤雅一公文書監理官（町田審議官と交代で現地に着任されていた）はもちろん、乗員たちもバスに乗ることなく船長を待った。

18時半ごろ、突然「カッ」とアナウンスのスイッチを入れた音が船から響いた。すっかり聞き慣れたアルマ船長の声でただひとこと“Goodnight, Diamond Princess!”と告げられた。そしてダイヤモンド・プリンセス号の汽笛が大黒ふ頭に鳴り渡った。とても長い時間鳴っていたように感じる。おそらくこれから退船する船長が万感を込めて鳴らしたのだろう。まるでドラマのワンシーンのようだった。

再び静かになり、しばらくしてアルマ船長は煌びやかな制服姿のまま、船長たるものの矜持を全身に纏い、伝統にのっとり全乗客乗員の最後に下船してきた。その場にいた全員が歓声とともに拍手で出迎え、この日を迎えられたことをお互いにねぎらい、喜びあった。橋本からも船長に握手を求めながら、残った厚生労働省のチームも全員陰性であったことを伝え、これまでのご協力に感謝を伝えた。そして乗員たちはバスに乗車し、出発していった。見えなくなるまで、皆で手を振って見送った。

（撮影：橋本岳）

図6：バスに乗るアルマ船長

横浜検疫所が最終確認して検疫済証を発行するまでがダイヤモンド・プリンセス号の検疫プロセスであったが、その業務は検疫所に委ねることとし、支援チームとしてはここで任務完了とした。橋本から加藤大臣に船長以下全員の下船と厚生労働省支援チーム任務完了を電話で報告した。ターミナル2の拠点を撤収し、それぞれの車で大黒ふ頭を離れ、14日間の健康観察を行うために都内の宿泊施設に移動した。大黒ICから高速道路に入り振り返ると、ダイヤモンド・プリンセス号は、客室の明かりこそほぼ消灯されやや暗くなってはいたものの、初めて見た時と変わらず白く美しい姿を大黒ふ頭に横たえていた。

その後

橋本はその足で厚生労働省が借り上げた都内の宿泊施設に移動し、14日間の健康観察期間をテレワークしながら過ごした。特段の発熱も体調不良もなかった。またアメリカではクルーズ船グランド・プリンセス号で新型コロナウイルス感染症が発生していたため、アメリカCDCの方や米国大使館の方々と電話会議を行い、可能な限り速やかに下船させるべきことなどをアドバイスした。またその頃イタリアやアメリカのニューヨークでは新型コロナウイルス感染症の爆発的な感染拡大が発生し、CNNのニュースを見ながら心配していた。

3月15日、健康観察期間を終え、その足でまず埼玉県和光市の税務大学校寮を訪ねた。アルマ船長やメディカルセンターの医師ら、すっかり顔なじみになった乗員の方々と、庭からベランダごしに会話し、元気そうな顔を見ることができた。この時はさすがの船長もパジャマのような服を着ていた。船長ら最後に下船した乗員たちの検疫もこの日に終了し、それぞれの故郷に戻られた。午後、橋本および自見政務官はそれぞれ厚生労働省に登庁し日常業務に復帰した。日本にも、いよいよ新型コロナウイルス感染症拡大の気配が忍び寄っていた。

ダイヤモンド・プリンセス号は、引き続き大黒ふ頭にて船内の消毒作業を行った。3月25日に横浜検疫所による検疫済証の発行を受け、午後に大黒ふ頭を離れた[44)]。

2月19日～23日にかけてダイヤモンド・プリンセス号から検疫終了により下船した1,011名の乗客の健康フォローアップは、3月15日にすべて終了した。下船後に改めてPCR検査を実施した方は247名おられ、うち陽性であることが判明した方が7名おられた。

4月17日に、ダイヤモンド・プリンセス号から2月7日に医療機関に搬送され入院しておられた方が亡くなられた。この方がダイヤモンド・プリンセス号に由来する最後の死者とされており、亡くなった方の数は13名となった。このほかにチャーター便で帰国後、3月1日に亡くなったとオーストラリア政府が発表した方が1名おられる。

ダイヤモンド・プリンセス号から医療機関に搬送され重症になり治療を続けていた方1名が軽快して7月14日に退院され、最大37名おられた重症者への治療もこの日終了した。

Ⅱ章　評価と提言

Ⅱ－1．検疫対応の影響と評価

Ⅰ章に記した経緯を踏まえて、ダイヤモンド・プリンス号における検疫対応について影響と評価を記す。なお本稿はあくまでも橋本の私見であり、政府や所属団体などの見解ではない。極力データなどに基づき客観的な記述を心がけるが、対応の当事者であるためバイアスがあり得ることにご留意を願いたい。またあくまでも事案後1年半を経過した時点における振り返りを記すものであり、当時の対応についての責任をどこかに求めることを意図するものではなく、そのように使われるべきものでもない。ただ今後の対応の改善のために、広く読まれることを願っている。

なお、成功したのか失敗したのかと問われることがある。しかしそもそもダイヤモンド・プリンセス号が遭遇した事態は、未知の感染症の蔓延という自然現象により、国内においては13名の死者と712名の感染者が発生した事実上の自然災害である。当然、その対応や支援について今後の対応の改善のために反省をすることは重要であり、そのために本稿の執筆も行っている。しかし、死者数や感染者数をもって単純に成功や失敗を論じるべきものではないと橋本は考える。

ダイヤモンド・プリンセス号由来のウイルス株は終息した

検疫の目的は、検疫法によれば「国内に常在しない感染症の病原体が船舶又は航空機を介して国内に侵入することを防止する」ことである。今回のダイヤモンド・プリンセス号についても横浜検疫所および厚生労働省のミッションは検疫であるため、これを達成したかどうかがまず問われるべきである。

厚生労働省は、2月3日に横浜港に到着した際に3,711名いた乗客乗員に対し、大きく分けて3つの方法でこの実現を目指した。1つは潜伏期間である14日間の客室待機、PCR検査陰性の確認、健康チェックで異常ないことを条件とした検疫終了、1つは陽性者などを医療機関に搬送して治療、最後の1つは各国のチャーター便による出国、である。

乗客1,150名および乗員237名は、陰性かつ無発症のまま検疫終了となった。乗客については、うち55名が途中から税務大学校に移って健康観察を継続し条件を満たして検疫終了した方、84名が一旦濃厚接触者となったものの陽性者と接触がなくなってから改めて14日間+24時間の健康観察期間を無事に経過しPCR陰性を確認して検疫終了となった方、1,011名は船内で健康観察期間を過ごし、2月19日から23日にかけて終了条件を満たして下船した方に分けられる。検疫が終了された方に対しては、厚生労働省は追加的に14日間にわたり不要な外出の自粛を求め、毎日電話をかけて健康状態の確認を行った。その結果、下船後にPCR検査を受けて陽性が判明した方は7名おられたことが把握された。その方々は入院して治療を受け、また疫学調査も受けており、その方々を起点とした国内の感染拡大は確認されていない。

検疫終了後に陽性が判明した方が発生した理由は、健康観察期間中に同室者から感染し、潜伏期間中にPCR検査をすり抜けてしまったのではないかと考えられる。もっとも当時厚生労働省を手伝っていた西浦教授は、加藤大臣から「下船時の検査は陰性でも、下船後に発症する人は何人くらいいるだろうか」と問われて「ゼロから数十人の範囲ですが、10人くらいじゃないですかね」と回答したと著書に記しており、予測の範囲であった[45)]。

乗員については、乗客乗船中は感染制御しながら職務にあたっていたため検疫が行えなかったが、2月27日以降合計238名が税務大学校寮に移動して順次14日間の個室待機を開始した。途中、船から医療機関に搬送され陰性であった方1名が3月6日に入所し、また入所中にPCR検査で陽性が判明して2名が入院し、3月15日までに237名が乗客と同じ条件を満たして検疫を終了した。

乗客乗員で、船内または税務大学校寮にてPCR検査で陽性となった方712名は、チャーター便で帰国した40名を除き、659名が医療機関にて治療を受けた。当然ながら医療機関では感染対策が行われており、ダイヤモンド・プリンセス号由来の二次感染やクラスターが発生したという報告はない。

また外国へのチャーター便での帰国は、下表の通り行われた。帰国後に感染が判明した方もおられるが、検疫という視点で考えれば一時的に我が国を通過しただけであり、影響はない。

表２：チャーター便での出国の一覧

出国先	日付	人数
アメリカ	2月17日	328名（うち乗員4名）
韓国	2月19日	7名（うち乗員4名）
オーストラリア	2月20日	170名（うち乗員1名）
イスラエル	2月20日	11名（乗員0名）
香港	2月20日、21日、22日	195名（乗員0名）
カナダ	2月21日	129名（うち乗員3名）
台湾	2月21日	19名（乗員0名）
イタリア／EU	2月21日	37名（うち乗員20名）
イギリス	2月22日	32名（うち乗員11名）
ロシア	2月22日	8名（乗員0名）
フィリピン	2月25日	445名（うち乗員441名）
インド	2月26日	124名（うち乗員118名）
インドネシア	3月1日	68名（うち乗員68名）

（出典：厚生労働省[46]）

国立感染症研究所が8月に公表したゲノム分子疫学調査の結果によれば、「船内の大規模感染を引き起こした株のゲノムは1塩基のみ変異していた。現在のところ、このDP号を基点とするウイルス株は検出されておらず、日本においては終息したものと思われる」とされている[47)]。

仮に2月3日横浜港に到着した時点でそのまま乗客を帰宅させていれば、新型コロナウイルス感染症を国内外に無秩序に拡散する結果になり得たわけであり、検疫という観点からは、ダイヤモンド・プリンセス号への対応は所期の目的を達成した。

なお、別のクルーズ船ルビー・プリンセス号では、3月19日にオーストラリアのシドニー港に到着した時点で、インフルエンザのような症状があった乗客乗員計13名が新型コロナウイルスの検査を受けたが、結果が出る前にニューサウスウェールズ州当局が他の乗客約2,650名の下船を許可した。翌日4名の陽性結果が判明、その後下船済み乗客からも州内で感染が発覚した[48)]。62名に2次感染したことを含め、関連した感染者は少なくとも900名に上り、28名が死亡したと報じられている[49)]。またクルーズの途中寄港したニュージーランドでも、クラスターの発生源になったとされている[50)]。

ダイヤモンド・プリンセス号でも、対応を誤れば同様の状況となったものと思われる。

感染者の数をどう考えるか

一方、船内では多数の感染者が発生しており、合計712名を数えるに至った。また当時、厚生労働省は日々判明する検査結果をそのまま公表し続けていたため、あたかも船内で継続的に感染が拡大し続けてしまったかのような印象を世界中に与えることにも繋がったとも思われる。

本来、船内の感染防御の責任は船側にあるが、検疫を行っている立場上厚生労働省支援チームも助言を行っていた。その上で、この結果をどのように考えるべきであろうか。個人的には、いくつかの要素に分けて考えるべきものと考える。

表３：船内および陸上施設で確認されたPCR検査の結果一覧

公表日	厚生労働省報告	検査結果判明数	うち陽性数	陽性率
2月5日	第1報	31	10	32.3%
2月6日	第2報	71	10	14.1%
2月7日	第3報	171	41	24.0%
2月8日	第4報	6	3	50.0%
2月9日	第5報	57	6	10.5%
2月10日	第6報	103	65	63.1%
2月11日	－	－	－	－
2月12日	第7報	53	39	73.6%
2月13日	第8報	221	44	19.9%
2月14日	－	－	－	－
2月15日	第9報	217	67	30.9%
2月16日	第10報	289	70	24.2%
2月17日	第11報	504	99	19.6%
2月18日	第12報	681	88	12.9%
2月19日	第13報	607	79	13.0%
2月20日	第14報	52	13	25.0%
2月21日	－	－	－	－
2月22日	－	－	－	－
2月23日	2月23日分	831	57	6.9%
2月24日	－	－	－	－
2月25日	－	－	－	－

公表日	厚生労働省報告	検査結果判明数	うち陽性数	陽性率
2月26日	2月26日分	167	14	8.4%
2月27日	−	−	−	−
2月28日	−	−	−	−
2月29日	−	−	−	−
3月1日	−	−	−	−
3月2日	3月2日分	3	1	33.3%
3月5日	3月5日分	36	8	22.2%
3月12日	3月12日分	84	1	1.2%
3月15日	3月15日分	−	15	−

（出典：DMAT[24]）

※3月2日以降は、政府宿泊施設におけるクルーズ船乗員に関する報道発表である。また、3月5日までの人数は延べ人数であり、実人数では3月5日までに696名が陽性であったことが公表されている。そのため最終的な陽性者の人数は712名となる。

1．2月5日早朝の客室待機開始まで

ダイヤモンド・プリンセス号は1月20日に横浜港を出発した。コロナウイルス感染症発見の端緒となった乗客は、2月3日に横浜港に帰港する以前、1月25日に香港で下船している。この乗客がダイヤモンド・プリンセス号に新型コロナウイルスを持ち込んだとは限らない。しかし横浜港出航以降発熱してメディカルセンターを訪問する乗客乗員が徐々に増加していることが明らかになっており（次ページ図2参照）、国立感染症研究所は「2月5日にクルーズ船で検疫が開始される前にCOVID-19の実質的な伝播が起こっていたことが分かる」としている[51]。

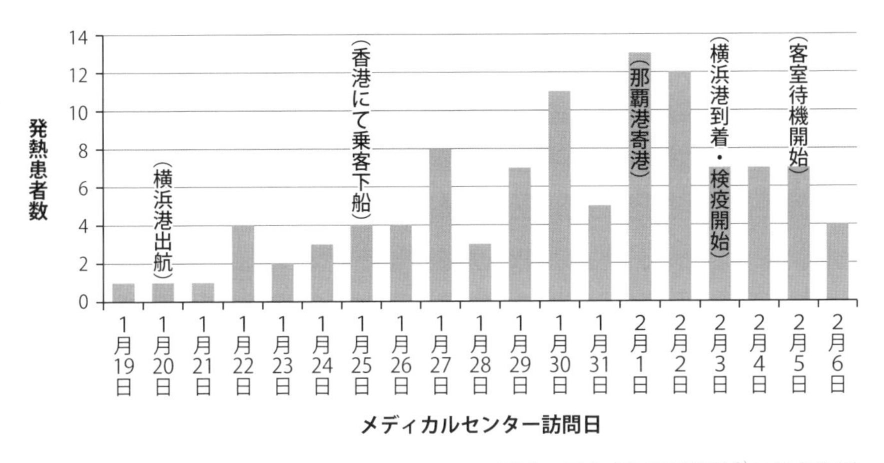

（出典：国立感染症研究所[8]に橋本追記）

図２（再掲）：１月19日から２月６日におけるクルーズ船乗客乗員のメディカルセンター訪問日別発熱患者数（n＝79）

なお、日本政府は香港政府から２月２日に当該乗客がPCR検査で陽性であったという通知を受け、同日那覇検疫所が仮検疫済証を取り消す旨の連絡を船長に対して行い、3日晩から横浜検疫所が所長以下乗船して臨船検疫を開始している。そのため５日朝以前にも、船長や検疫所はイベント中止や乗客への客室待機指示などの感染対策を講じることができたのではないかという指摘がされることがある。

この点については、現実的にはそのような対応は困難であったものと考える。船内にはPCR検査のための機器はなく、新型コロナウイルス感染症の症状も当時は不明であった。そのためメディカルセンターの発熱者が徐々に増えていることに気が付いたとしても、新型コロナウイルス感染症と確定診断することは船内では不可能であり、インフルエンザや風邪と鑑別することはできなかった。1月20日の出航以来２月３日に横浜港に到着するまで重症の患者は発生しておらず、特に注意を集めるべき他の兆候もなかったものと思われる。そもそも２月３日当時、新型コロナウイルス感染症の爆発的な感染拡大は世界中で武漢市でしか発生していなかった。それをただちに自分事として捉え、確定的な証拠は全くない中で船長や検疫所長に乗客の自由を束縛する決定を求めるのは、いささか酷なことと考える。

新型コロナウイルス感染症の特徴として「わかりにくい」ことがある。無症候の感染者も一定の割合で存在するし、その方も感染を拡大させる能力を持つ。そのため、比較的厳密な注意が求められる医療機関や高齢者施設においてすら、既に多数者が感染した状態ではじめてクラスターとして発見される例は、新型コロナウイルス感染拡大から一年半が経過した現在では、既に枚挙に暇がない。ある高齢者施設の利用者および従業員全員のPCR検査を行ったところ、15名の無症候病原体保有者がいて驚いたという例が、衆議院予算委員会公聴会でも紹介された。そうした経験を踏まえて振り返れば、当時の対応は致し方なかったものと考えるべきである。

ただ、仮に2月3日・4日から感染を制御するための介入が行われていれば、結果は多少なりとも異なっていた可能性は考えられる。今後の課題として、同様の事態が起こった際に、どのようなタイミングでどのような介入が考えられるか、想定して議論しておくことは大切であろう。

2. 2月5日以降の乗客について

乗客は、2月5日早朝に厚生労働省の助言を受けた船長から客室待機を指示された。この措置は乗員による監視がついた厳格なものであった。またその時点で、手洗いの励行やマスクの着用などの基本的な注意点はアナウンスされた。また7日からは健康維持のため乗客がデッキに出て外気にあたり散歩することを許可することとしたが、交代制として人数を制限したこと、マスクの着用や2mの間隔保持、極力階段を使用することなどの条件を付けて実施することにより感染対策をとった。また、食事の配膳や下膳、メッセージなどの配達は乗員のサーブによったが、これもマスクや手袋の着用により行うこととされた。医療機関の専用病室における隔離に及ぶものではないが、相当厳密な感染制御と考える。

しかし、船内での検疫を余儀なくされ一人一部屋の個室隔離とすることができなかったため同室者がいる場合が多く、その間の感染については船上の健康観察の限界として考えざるを得なかった。2月5日以降についても、客室内における同室者間での感染については、ある程度は継続したものと考えられる。

なお当初は発熱などの症状のある方から検体採取を行っていたが、ハイリスク者（高齢者）が宿泊施設に移動するオペレーションのため、10日頃からより高齢の方から順次乗客のPCR検査用の検体の採取を開始した。15日に検疫終了に向け乗客全員PCR検査を行う方針が固まり、以降加速して17日までに全員の検体採取を終えた。そのため健康観察期間の終盤になって無症状者を含む多数の陽性者の存在が判明することとなり、あたかも船内での感染が無秩序に拡大し続けているかのように受け止められた面もあった。

3．2月5日以降の乗員について

一方乗員は乗客と異なり2月5日以降もそれぞれの持ち場で勤務しており、居室待機とはならなかった。乗員も検疫の対象であり、本来は乗客同様に居室待機を行うべきであったが、船内で検疫となった結果、やむを得ず後回しとせざるを得なかった。

ただし、5日には、乗客と接触したら都度手洗いやアルコール消毒をすること、マスクを着用すること、有症状の乗客を見つけたり自分に症状が出たりしたら医師に申し出ることなどの注意事項は乗員にも伝えられていた。船内の規則により発熱などの症状が出た場合は仕事を休んで個室に隔離される扱いがとられていた。

また国立感染症研究所や大学の感染症対策の専門家が乗船した際、累次にわたり乗員に対してマスクの装着方法や手指消毒の指導や、食堂など環境の改善などについて指導をいただいた。特に11日からは日本環境感染学会DICTの専門家が乗船して19日まで船内外で活動を行い、船内のラウンドや教材となる動画の作成、消毒液や携帯用ポシェットの配布などを乗員に対して行っていただいた。

そうした活動の結果、次節のグラフに示されている通り、活動を継続しながらもなお、乗員間の感染拡大も一定のレベルで落ち着かせることができたものと考えている。

4．総合的な検討

このように、船内という環境のもとという限界もあったものの、可能な限りの感染対策を行い、検疫を行った。その結果、DMAT報告書によると新規発熱者数は下表の通りとなっており、乗客は2月7日をピークとして、また乗員は2月10日をピークとして徐々に減少している。なおこの表はPCR検査の結果は考慮されていない。

表4：新規発熱患者数

日付	乗員	乗客	計
2月7日	8	61	69
2月8日	9	55	64
2月9日	14	38	52
2月10日	14	34	48
2月11日	9	23	32
2月12日	5	35	40
2月13日	7	27	34
2月14日	9	15	24
2月15日	1	8	9
2月16日	4	4	8
2月17日	2	1	3
2月18日	5	2	7
2月19日	5	6	11
2月20日	1	0	0

日付	乗員	乗客	計
2月21日	1	0	1
2月22日	0	0	0
2月23日	2	0	2
2月24日	1	0	1
2月25日	3	0	3
2月26日	1	0	1
累計	101	309	409

（出典：DMAT [24]）

また、西浦博教授は、乗客（濃厚接触者およびそれ以外）、および乗員別の発症日のデータから感染インシデントを推定する論文をまとめている[52]。この論文によると、それぞれのエピカーブは図７の通りである。なおこの図および次の図に関し、濃厚接触者とは感染確認者の同室者のことを表している。また無症状者には当然ながら発症日がないため、グラフの対象となる症例は陽性と判明した者全員ではなく、有症状者に限られることに留意が必要である。

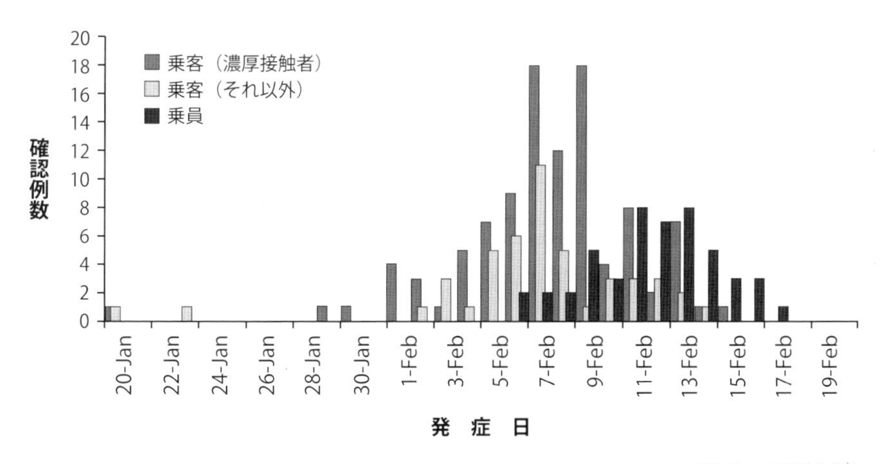

（出典：西浦博 [52]）

図７：ダイヤモンド・プリンセス号の１月20日から２月20日までの乗客乗員および接触歴別の確認例数（n＝199）

この図によると、乗客については濃厚接触の有無に関わらず2月7日～10日頃が発症のピークとなっている。一方、乗員の発症ピークは乗客より少し遅れて2月11日～13日頃となっている。

このデータをもとに感染発生機会を推計すると、下図の通りとされる。2月2日から4日に感染のピークとなる出来事が濃厚接触者も含む乗客に関して発生しており、客室待機が指示された5日には感染の発生は概ね落ち着いている。ただし、濃厚接触者の感染は7日まで続いており、客室内での感染は5日以降も続いたことが示唆される。

一方、乗員については2月8日から10日にかけて感染のピークがあり、11日に落ち着いた。継続的に取り組まれていた乗員における感染制御の取組みが一定の効果を上げたものと考えられる。

この論文では、2月5日の移動制限がある場合とない場合の累積感染発生率を計算している。移動制限を行った場合で2月24日にて濃厚接触のある乗客で102例、その他の乗客で47例、乗員は48例であった。一方2月5日に移動制限がなかった場合では、濃厚接触のある乗客は1,373例（95％CI：

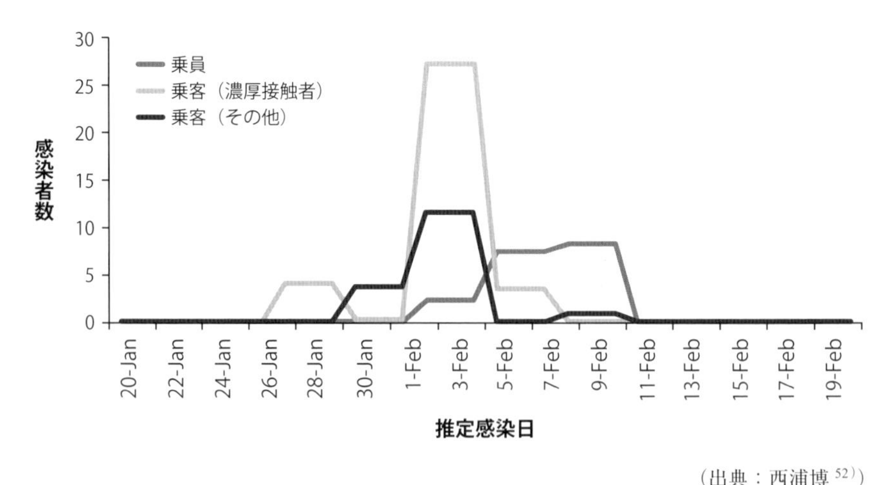

（出典：西浦博[52]）

図8：ダイヤモンド・プリンセス号の1月20日から2月20日にかけての乗客乗員別および接触歴別の推計感染インシデント（n＝199）

570,2176）、その他の乗客で766例（95％ CI：587,946）になり得たものと予測されている。

先に記したように、西浦論文は発症者のみを取り扱っており、無症状者がどのように拡大したかは不明である。しかし発症者も無症状者も、感染の経路などは変わらないものと想定されるため、発症者の感染拡大に比例して無症状者の感染もあったと考えるのが自然である。

よって、総じていえば、ダイヤモンド・プリンセス号の今回の航海では、1月20日の出航以降2月5日早朝までの間は、船内では新型コロナウイルス感染症に対する感染対策が特に行われていなかったため、イベントや食事会場などを通じて徐々に感染が拡大していたものと思われる。なお検疫開始前は、診断バイアス（例えば、発症していても症状が軽微なため見逃されること）があった可能性もあるため、発症者は実際はもっと多かったかもしれない。他方で2月5日早朝の客室待機指示以降については、船内での検疫ゆえの限界、すなわち同室者間の感染や乗員の感染が続いたことなどはあったものの、客室待機などの感染対策は一定の有効性はあり、2月中旬ごろには感染拡大はくい止められた。

そうした中で、結果として712名が感染するに至ったものと考えられる。

なお、2020年4月に長崎港で着岸中にクラスターが発生したクルーズ船、コスタ・アトランチカ号の事例では、船内に滞在していた乗員623名中陽性者は148名であった（乗客は不在だった）[53]。感染率で比較するとダイヤモンド・プリンセス号は19.2％、コスタ・アトランチカ号は23.8％であった。条件が異なるため単純な比較は困難ではあるが、少なくともダイヤモンド・プリンセス号でのみ、特に新型コロナウイルス感染症が激しく拡大したということではない。

また西浦論文においては、乗員に、マスクの着用や手指衛生の実施、間隔をとった食事スタイルの徹底など浸透させることにより、隔離せず働きながらであっても感染拡大を収束させることができたことが明らかにされた。このことは、その後国内における感染対策として示された「新しい生活様式」の有効性を示唆するものと考えられる。

支援チームの感染対策とゾーニング

支援チームの感染対策について、乗客乗員に対して診療や検体採取にあたる検疫官や医療支援チームなどは、フェイスシールド、N95マスク、アイソレーションガウン、手袋などのPPEを装備して作業にあたった。また業務中の乗員や支援チームの事務官も含め活動者全員が、船内では飲食時を除き常にサージカルマスクやN95マスクを着用し、また手指消毒剤を携帯して手指消毒の徹底を行う標準予防策を講じ続けていた。またDICTの指導により、大黒ふ頭のターミナルにおいても手指衛生の徹底などが行われた。

またダイヤモンド・プリンセス号の対応において、特にYouTube動画によりゾーニングという言葉が一躍脚光を浴びることとなった。ゾーニングとは、例えば国立国際医療研究センターの資料[54)]では「感染症患者の入院病棟において、病原体によって汚染されている区域（汚染区域）と汚染されていない区域（清潔区域）を区分することである。これは安全に医療を提供するとともに、感染拡大を防止するための基本的な考え方となる」とされている。そして「汚染区域と清潔区域を明確に区別し、医療従事者は汚染区域に入る際に必要な個人防護具を着用し、汚染区域から出る際に個人防護具を脱衣する。個人防護具の着用と脱衣は別の場所で行う」といったルールで運用することにより、感染の拡大を物理的な隔絶などにより防ごうとするものである。今回の対応においても、当初から乗船していた国立感染症研究所、大学の感染症対策の専門家や、日本環境感染学会DICTの方々により指導を受けながら、船内での検疫という条件下で可能な限りでのゾーニングを行い、また改善を重ねていた。

船内で行われたゾーニングは、DMATなどが客室や乗員の居室を訪問して診察や検体採取を行った際に暴露したウイルスについて、医療チームの拠点であるヴィヴァルディに持ち込むことを防ぐことに、特に主眼を置いて行われた。そのため、乗客や乗員がいる客室などを訪問した医療従事者などが拠点に戻る際に、PPEを脱衣する場所がヴィヴァルディの入り口に設定された。入口に向かって右側が脱衣スペースを設けた通路とされ、客室などから帰ってきた医療従事者はそこでPPEを脱ぎ消毒を十分行ってから拠点に立ち入った。一方、向かって左側は、支援チームの事務官などが普通に出入りをするルートとされた。その上で、ヴィヴァルディおよびサボイの拠点スペースは消毒用クロスで清拭して清潔を保つよう努めた。また専門家の指導によりDMAT専用のエレベーターも確保され、客室などに往復する医師や陽性者の搬送の際に活用された。また19日以降の検疫終了者の下船においては、船首部のギャングウエイを使用し、陽性者の医療機関への搬送などを行う動線との交差を防ぐようにした。

一方でダイヤモンド・プリンセス号におけるゾーニングは、船内での検疫であることに起因する制約の中で行う必要があった。まず、検疫開始当初からバージ船の調達ができる13日まで、3日に一度離岸し外洋に出なければならなかった。しかし支援は継続する必要があったため、支援チームの拠点は船内に置く必要があった。その後、常に着岸し続けることが可能となって以降、DICTやDPAT、薬剤チームは順次船外に拠点を移している。また、19日の検疫終了者の下船までは、ギャングウエイは船中央部の一本しか通されず、陽性者の搬送も支援チームの乗下船も同じ狭い通路を通らざるを得なかった。またギャングウエイを通って船内に入った先はメディカルセンターの眼の前であり、ここも動線の交差が発生せざるを得ない場所であった。これらの点について改善するため、船長ミーティングで別の通路を通すことを船長に要望したが、乗員の不足を理由に実現しなかった。

こうした形で支援チームの感染対策やゾーニングは行われていたが、検疫官3名、支援チームの厚生労働省および内閣官房の職員4名やDMAT隊員1名、DPAT隊員1名に感染させてしまったことは、誠に悔やまれる。特に厚生労働省などの職員についてはそもそも事務官であり専門知識がない中で、11日の乗船当日の慣れない間に無症状者の下船オペレーションを実施せざるを得なかったことにおそらく端を発しており、さらにその潜伏期間中にサボイの事務スペースや食事スペースにおいて他の職員に対して接触感染または飛沫感染があったものと考えている。乗船前にPPEの着脱など感染対策について十分に研修を受けさせてから乗船させるべきであった。今後の反省点としなければならない。

自衛隊の支援チームは、河野太郎防衛大臣の「自衛隊からは1人の感染者も出さない」という指示のもと、厚生労働省の基準よりも厳しい基準でPPEの着装を行っていた。これは防衛省独自の考え方によるものではあるが、結果として感染者を出さなかった。「最後の砦」である自衛隊ならではのことであり、支援チーム全員が自衛隊基準でPPEを着用してすべての作業を行うのも現実的ではなかったとも考えるが、一方で、「『救いに行く立場』で感染してしまったら、任務を果たせないと考えた」[55)]という意識や、隊員を守るための事前教育の徹底などの形で示された防衛省の姿勢に、厚生労働省が学ぶべきところは多いにあるだろう。

なおその後長崎港で発生したコスタ・アトランチカ号の事案では、DMATなどの支援チームは岸壁に船外本部を設け、必要に応じて乗員が下船する形で、支援チームは船内に立ち入らずに支援を行っている。これはダイヤモンド・プリンセス号でDICTとして活動された長崎大学の泉川教授が、その経験を活かして長崎県調整本部のリーダーとして決断をしたことであった。

感染症と差別

2月12日に検疫官の感染の公表以降、感染を恐れてDMATやDPATの派遣を断られる例が増えた。また派遣終了後、派遣元の病院や周囲からこころない対応をされるケースもあった。日本災害医学会理事会は2月22日に「新型コロナウイルス感染症対応に従事する医療関係者への不当な批判に対する声明」[56]を発表し、職場において「バイ菌」扱いされるなどのいじめ行為や、子どもの保育園・幼稚園から登園自粛を求められる事態、職場管理者から謝罪を求められるなどの不当な扱いを受けた事案があったことに対し、強く抗議と改善を求めている。

危機に際して使命感と勇気をもって駆けつけてくださった医療従事者の方々が、世間からそのような扱いをされたことはとても残念であり、支援を依頼し助けていただいた立場として、本当に申し訳ないことと思っている。

また、乗客の方々についても、下船して帰宅した後に、事実と異なるうわさを流されたり、不当な取り扱いを受けたりしたことについての報道[57]があった。たまたま乗船した船に未知の感染症が拡大してしまい、心ならずも検疫を受ける目に遭ってしまっただけの方々が、陰性が確認されて帰宅してもなお理不尽な差別を受けたことも、誠に不本意でいたたまれない思いがする。

橋本自身の個人的体験ではあるが、下船時にPCR検査の陰性を確認した上で14日間の宿泊施設における健康観察を行って異常のないことを確認し、その上で初めて国会に登院した際に、軽口か冗談のつもりだったのだろうとは思うが、他党のある議員から「近寄らないで！シッシッ！」と真顔で手を振って追い払われた。日頃から人権に敏感であるべき国会議員からそういう対応をされたことは、全く思いもかけないことであり、一年半以上経っても未だに忘れられないショックな出来事だった。差別というものは、する方はさしたる意図もなく行っていても、される方は実に不条理で辛く感じるものであることを実感している。

また、実際には都内で健康観察期間を過ごしていた時期であったにも関わらず、「橋本はダイヤモンド・プリンセス号の対応中に新型コロナウイルス感染症に感染しており、倉敷市の病院で入院しているのを見かけた人がいる」という、まことしやかなうわさ話を地元秘書が耳にしたこともあった。最近でも、たまに「あの時、感染したんでしょ？」と尋ねられることがある。いずれも事実と異なる、根も葉もない内容である。

感染症に伴う差別は、ハンセン病や後天性免疫不全症候群などの経験を通じ、日本社会が克服すべき課題とされ続けてきた。しかし新型コロナウイルス感染症においても再び見られるようになっている。この問題に関しては、髙鳥修一衆議院議員らによる議員立法を目指す活動もあり、最終的には2021年の通常国会における新型インフルエンザ特措法などの改正にあたり、患者や家族、医療従事者などに対する差別的取扱いなどを防止するための規定が設けられた。

ただ実態としては、残念ながら未だに解決への道は遠いといわざるを得ない。

医療に対する影響とその後に与えた教訓

ダイヤモンド・プリンセス号からは、769名が医療機関に搬送された。この数字には、新型コロナウイルス感染症以外の病気による方や、家族や同行者を含む。搬送先は、神奈川県を中心に宮城県から大阪府や奈良県に至る全国16都府県にわたった。神奈川県はこの事態を「災害」であると宣言し、DMATによる対応を決定した。2月6日から26日まで神奈川県庁内にDMAT本部を設置して、船内およびターミナルのDMATや厚生労働省医政局などと連携しつつ、搬送先の選定、搬送手段の確保を行った。実際の搬送は、民間救急車、自衛隊の救急車やバス、横浜市消防局の救急車が手分けして行っている。

対応にあたっていただいた医療機関も、治療法も全く不明の未知の感染症であり、かつ多くの患者が外国人であったため言葉の壁もある中で、懸命の治療にあたっていただいた。PPEの装着やゾーニングなどに加え、患者に直接接触する人員と、記録や資材、機器の提供を担当する人員の分離が必要であり、人的負担は通常の2～4倍に相当した。横浜市内、神奈川県内の救急病院での受け入れは困難になり、医療崩壊の危機に瀕していたとされる。

そうした中で自衛隊中央病院は、ダイヤモンド・プリンセス号から搬送された症例104例の報告をまとめ、3月24日に「医療従事者向け　新型コロナウイルス感染症（COVID-19）について」[58]をWebサイトに掲載した。この報告では、臨床症状、所見、治療（酸素投与の有無）、重症度などが整理されており、特に全観察期間を通して無症状の者が31.7%いることが示された。このことにより、「症状スクリーニングによる臨床診断の精度向上は、非常に困難」と考察されている。また、無症状であっても胸部単純CT検査にて異常影が観察される旨の指摘や、ひとりもスタッフの感染者を出さなかった感染対策の方法など、未だ新型コロナウイルス感染症の国内患者が少ない時期において全国の医療機関が参考とする貴重な情報源となった。

また、神奈川県DMATとして県庁で対応いただいた阿南英明医師のプレゼン[59]によると、ダイヤモンド・プリンセス号対応の課題としては、①高齢者や基礎疾患を有する人への配慮が必要であったこと、② 769名のうち多くは軽症者または無症状者であり、しかし当時はPCR検査2回陰性の確認が必要であったため長時間病床を塞ぐこととなるため、自宅療養など入院以外の方法での隔離にとどめる方法の模索が必要となること、③毎日の多数の搬送調整の作業が発生したことから、毎日の入院・空床情報などリアルタイムな情報収集を行うシステム化や多数の患者を集約的に入院させることが可能な施設の存在が必要であったこと、④重症の新型コロナウイルス感染症患者の管理は人的物的資源の負荷が大きいため、広くICUを持つ医療機関に対して応分の協力を求め、一部の医療機関に過重な負担がかかることを避けることが重要であること、が挙げられている。

神奈川県ではこうした教訓を踏まえ、3月25日に新型コロナウイルス感染症の移行期・蔓延期の緊急医療体制として「神奈川モデル」を全国に先駆けて提唱した[60]。「役割分担と機能集約」を理念とし、中等症の患者を集中的に受け入れる「重点医療機関」の設定や、無症状・軽傷の若い患者の自宅や宿泊施設における療養などを中核としたモデルであり、神奈川県として実行に移されるとともに、厚生労働省が全国に向けて示した医療提供体制の考え方の手本にもされた。

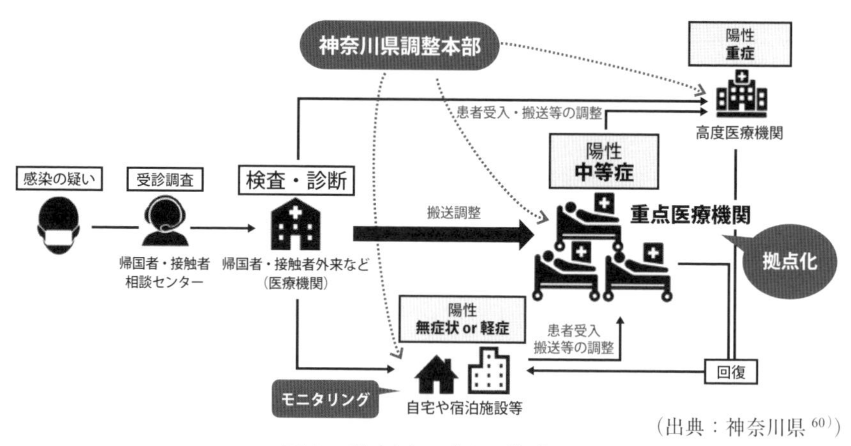

（出典：神奈川県[60]）

図９：神奈川モデルの模式図

なおこのモデルを運用するための情報インフラとして、神奈川県では医療機関の情報をクラウドで収集し共有するシステムを３月に構築した。この神奈川県のシステムを活かしてそのまま全国版とし、機能の追加などの改善を加えながら運用されているのが、厚生労働省が内閣官房 IT 室と連携して構築・運営する G-MIS（新型コロナウイルス感染症医療機関等情報支援システム）[61]である。また、ダイヤモンド・プリンセス号内支援チームの活動において、事務的には 3,711 名の名簿との格闘に苦戦した経験を踏まえ、新型コロナウイルス感染症蔓延時に医療機関や保健所が同様の状況になり得ることを想定し、その支援のために厚生労働省が構築したシステムが HER-SYS（新型コロナウイルス感染者等情報把握・管理支援システム）[62]である。いずれも現場からさまざまな意見をいただきながら改善を重ねており、現在でもそれぞれの機能を果たしている。

なお、橋本および自見政務官は、宿泊施設における健康観察期間中に、アメリカでクルーズ船グランド・プリンセス号において新型コロナウイルス感染症患者が発生した事態を受け、アメリカの CDC や大使館の方と電話会議を行い、可能であれば速やかに下船させることが望ましいことなどの旨アドバイスを行った。

このように、ダイヤモンド・プリンセス号を日本が受け入れたことは、感染者を受け入れた医療機関にとっても大きな負担となったが、一方では、国内で感染者が多く発生する前に症例の経験を積み、国内外での感染蔓延時に向けた教訓を得ることができたという側面もあるものと考える。

入院医療費の負担について

新型コロナウイルス感染症で入院した者の医療費は、感染症法に基づき入院勧告が行われ公費（国および都道府県）負担となる。ただし日本の公的医療保険に加入している者の場合は、感染症法第三十九条の保険優先の原則のもと、公的医療保険の範囲は保険で賄われ、自己負担分のみ公費負担となる。一方で、公的医療保険に加入していない者、例えば観光などで短期的に来日した外国人が同様に入院となった場合は、原則として全額が公費負担となる。ダイヤモンド・プリンセス号の乗客乗員の対応においても、同様の取り扱いであった。

しかし海外からの旅行客であっても、民間保険に加入していれば十分に支払い能力があると考えられ、一方で納税や社会保険料の負担はなく、公的医療保険加入者と比較してバランスを欠くのではないかという指摘があった。

2020年6月から7月にかけて行われた調査[63]によると、ダイヤモンド・プリンセス号に乗船していた外国人籍の入院患者423名のうち、医療機関から回答を得た346名に要した医療費の総額は約2億8,844万円であり、1名あたり医療費の中央値は約68万円だった。総費用の96.4%が保険診療対象費用であったが、そのうち97.9%は公費負担（予定を含む）となっていた。保険診療対象外費用（差額ベッド料、病衣、日用品、文書発行料など）の94.7%はカーニバル・ジャパン社に請求が行われていた。なお、対象となる患者が民間保険に加入しているかどうかは86.5%が不詳と回答されおり、医療機関が民間保険加入の有無を把握していない状況も明らかにされた。

こうした調査結果を踏まえ、2021年6月28日付で厚生労働省新型コロナウイルス感染症対策推進本部から自治体に対して事務連絡[64]が発出され、外国からの観光客など短期滞在入国者の新型コロナウイルス感染症入院患者については、加入する民間保険の補償額の範囲内で自己負担を求めて差し支えないこととされた。

クライシス・緊急事態リスクコミュニケーション（CERC）について

新型コロナウイルス感染症が国内で問題となった2020年1月から、この問題については主に加藤勝信厚生労働大臣が閣議後や都度に行う記者会見が、政府のコミュニケーションの場として機能していた。また厚生労働省は連日結核感染症課や検疫所業務管理室の事務方による記者ブリーフィングを開き、日々の陽性者やさまざまな対策などについて公表を行っていた。

ダイヤモンド・プリンセス号対応については、2月4日に横浜港で臨船検疫を行っている旨を公表したことを皮切りに、5日、7日、10日、13日、14日、15日、16日、17日、18日、20日、21日、22日、23日、25日、3月1日とほぼ毎回にわたり、加藤大臣は関連する質疑に応えている（その他3月13日に橋本および自見政務官の健康状態を確認する記者の質問に答弁している）。事務方による記者ブリーフィングも毎回2～3時間にわたる質疑に対応し、大臣記者会見を補足している。またさらに国会の予算委員会などの審議においても関連する質疑に対して答弁を行い、ニュースリリースも都度公表を行った。当時ダイヤモンド・プリンセス号対応以外にも、雇用問題も含めて新型コロナウイルス感染症対策全般の矢面に立っていた厚生労働省として、加藤大臣を先頭として誠実に説明責任をはたすべく対応していたものと個人的には考えている。

しかし一方で、ダイヤモンド・プリンセス号対応をめぐっては、結果として不安や批判的な報道が国内外に多かったことも事実であり、コミュニケーション面に不備があったとする指摘も見られる。そこで、今後に向けて改善点を考えるため、橋本は2021年3月に書籍『クライシス・緊急事態リスクコミュニケーション（CERC）－危機下において人々の命と健康を守るための原則と戦略』[65]の著者である蝦名玲子氏のヒアリングを行った。

同書によると、クライシス・緊急事態リスクコミュニケーション（CERC：Crisis and Emergency Risk Communication）とは、リスクコミュニケーション、クライシスコミュニケーション、課題管理コミュニケーションの３つのコミュニケーションを要素とする概念であり、ダイヤモンド・プリンセス号対応については「組織のコントロールを超えた予測不可能な緊急事態が起きたときに、人々に事実情報を提供するコミュニケーションのプロセス」であるクライシスコミュニケーションにあたるものと考えられる。クライシスコミュニケーションの目的は、予測不可能な緊急事態が発生した時の説明と説得とされ、これがうまくできないと組織の世評が傷つき、「この組織に緊急事態への対応を任せて大丈夫か？」と、その対応能力について疑問視をされるという。これは今回の厚生労働省においても、結果としては残念ながらあてはまってしまっている面があるものと思われる。

蝦名氏はダイヤモンド・プリンセス号の対応時、コミュニケーションについて切歯扼腕していたそうである。仮に自分が支援していたらこうアドバイスしていたというポイントは、主に下記の通りであった。なお個々の言葉の説明などについてさらに説明が要る場合には、ぜひ同書を参照されたい。

- 現地対策本部が活動を開始した時点から活動終了まで、毎日記者会見して現状説明を行うとともに、解決までのプロセスを見せることで透明性を持たせる。
- スポークスパーソンは、現地責任者と専門家のペアが務める。
- メッセージの内容は、「共感の言葉」、「リスクについての説明」、「対応についての説明」、「行動の促し」というCERCリズム初動期のポイントを踏まえたものとする。

  例えば、陽性者数の増加に伴い、船内で感染制御がなされないままに感染が拡大し続けているかのように受け止められ、不安を抱いている人々が多いことに気づいたら、人々の不安に気づいていることを述べ、「この感染症の感染経路はこれらが考えられ、現在、船内ではこのような感染対策をおこなっている」「一人でも多くの乗客・乗員に無事に下船いただけるように、現在、このような体制下で、これらの組織が団結して、感染制御と検疫をおこなっている」などとリスクや対応についての説明をし、「正確な最新情報は、会見で毎日報告するので、引き続き会見を確認してほしい」と、とってもらいたい行動を促すというイメージである。

- コミュニティ・エンゲージメント（理解と協力を求める集団に関わってもらう）、意思決定とエンパワメント（命と健康を守る最善の意思決定と行動を促すために必要な情報を提供する）、評価（評価結果を対応の改善に活かす）、という3つを意識する。

  日々の会見を例にとると、透明性をもって対応について説明をしたり、意思決定にいたる状況やリスク、資源についての情報を公開しプロセスを見せたりすることで、国内外にいる乗客乗員の家族なども、より状況が理解でき、「（部外者のように扱われるのではなく）関与させてもらえている」と感じ、信頼を構築できる。また、情報を発信したら、その受け止められ方を評価し、次回の伝える内容や伝え方の改善に活かすことが重要である。

- 情報収集・情報発信・オペレーション支援・連絡支援を行うCERC担当チームを設置し、スポークスパーソンを支援する。
- 情報発信内容については、広報担当者・組織の方針を確認する者・専門家の3人が確認をする体制を事前に構築する。
- 不測の事態においては、個別バラバラにネットやSNSに情報をアップするのではなく、記者会見を開いて既存のメディアに対してOne Voiceで説明をする。

実際にはこうした対応をダイヤモンド・プリンセス号の検疫で行える体制は整っておらず、前述の本省での大臣記者会見や記者ブリーフィングなどにとどまり、橋本がブログなどで補足をする形となっていた。個人的にも、失敗も含め猛烈な反省があるところでもある。戦略的なクライシスコミュニケーション実現のためには事前の準備が重要であったことが明らかであり、厚生労働省や政府においても、今後すべからく組織として取り入れ準備すべき考え方であろう。

記録や報告書などの整理

ダイヤモンド・プリンセス号対応については、政府としての正式な検証は新型コロナウイルス感染症の蔓延が収束してから行うこととされ、未だ実施に至っていない。しかし社会的に大きなインパクトのあった取り組みであったこともあり、随時記録や報告が公表されている。

国立感染症研究所は2月19日に「現場からの概況：ダイアモンドプリンセス号におけるCOVID-19症例」を公表し[8]、26日に更新した[9]。この資料で初めてダイヤモンド・プリンセス号船内のエピカーブが公表された。また7月31日に「ダイヤモンド・プリンセス号新型コロナウイルス感染症事例における事例発生初期の疫学」[66]、9月14日に「ダイヤモンドプリンセス号環境検査に関する報告」[42]を公表している。

厚生労働省は2月20日に「クルーズ船『ダイヤモンド・プリンセス号』内における感染制御策について」[41]を公表した他、5月1日に「ダイヤモンド・プリンセス号現地対策本部報告書」[46]を公表し、活動内容などを簡潔に整理して公表した。また支援に入ったDMATは、DMAT事務局として「ダイヤモンド・プリンセス号DMAT活動報告書」[24]をまとめている。

また、厚生労働副大臣および厚生労働大臣政務官として、橋本と自見政務官は連名で論文“Challenges of COVID-19 outbreak on the cruise ship Diamond

Princess docked at Yokohama, Japan：a real-world story”[67)] を Global Health & Medicine 誌の 2020 年 4 月号に発表し、英文での情報発信にも努めた。正林督章審議官は、日本内科学会雑誌に「クルーズ船ダイヤモンド・プリンセス号での対応」[68)] を執筆した。

DMAT も、近藤久禎次長や阿南英明医師らの連名で、“Japan DMAT operations in the Diamond Princess cruise ship：COVID-19 medical operation”[69)] や “Medical Transport for 769 COVID-19 Patients on a Cruise Ship by Japan Disaster Medical Assistance Team”[70)] などの論文を発表している。

個人のブログであるが、橋本は本文に掲載したもののほか、「ダイヤモンド・プリンセス号現地活動の概要」[71)] を公表した。

本書も含め、こうした論文や記録が、後世の対応改善に結びつくことを願っている。

Ⅱ－2. 今後に向けた提言

ダイヤモンド・プリンセス号が遭遇した事態は、今後もう二度と発生しないと言い切れるような特殊な事態ではない。歴史的な事例のみならず、2020年初頭からの今回の新型コロナウイルス感染症の世界的な蔓延下のみをとってみても、他クルーズ船での事案や米空母セオドア・ルーズベルトにおける感染拡大の事案[72)]などの例を数えることができる。当然、いずれは新型コロナウイルス感染症もワクチンなどにより克服されるであろうし、今回の経験を踏まえ船舶における感染対策も強化されるものとは思われる。しかし、またさらに新種の感染症が数年か後には現れることとなるのであろう。今後も巨大な船舶が感染症の温床になるリスクには十分な備えが必要であると考えられる。

そこで、橋本の私見として、今後に向けた提言を記す。いずれ政府において検証が行われるものと思われるが、その際にも参考とされることを期待する。

健康観察・療養の施設の確保

現在の日本の検疫所は、独自の停留用の宿泊施設を持っていない。普段から近隣の民間宿泊施設の部屋を必要に応じて利用する契約を結んでおり、空港などで感染症患者を発見し停留させる必要が発生した際には、その部屋を使用する。しかし、到底ダイヤモンド・プリンセス号の規模の巨大クルーズ船に対応できるような部屋数ではない。また、政府が保有する宿泊施設も使用されたが、当初は武漢からのチャーター便による帰国者の宿泊に利用されており、その方々が退所された後に順次入所する形でしか利用できなかった。

そのため、ダイヤモンド・プリンセス号内において14日間の検疫を行うという、いわば「プランB」を採用せざるを得なかった。その結果、乗員の検疫が後回しになったこと、船内に支援拠点を設けたこと、複数名での客室待機となったこと、ギャングウエイが狭くストレッチャーを運ぶことにも支障があったことなど、数々の対応の困難さに直面することとなった。

数千人規模の宿舎を普段から空室で維持しておくのは現実的ではないかもしれないが、感染症国内蔓延時にも無症状者向けの宿泊施設の確保が課題となったことや、大規模災害時の避難用住居にも活用することなども念頭に、

- **政府や自治体の宿泊施設の転用や民間宿泊施設の借り上げをより大規模に行えるよう事前に調整しておくこと**
- **場合によってはプレハブなどで簡易に宿舎を建設できるようにしておくこと**
- **それらについて感染症を想定してゾーニングやサービス継続の計画を事前に策定しておくこと**

といった事前の備えを行うことは、考えられるのではないだろうか。

感染症対応を専門とする医療支援・生活支援の体制づくり

人員面において、感染症の急拡大とそれによる局地的な医療ニーズの激増という災害的な状況に対応し、増援に駆け付けるための感染症専門の医療従事者の体制は、存在しなかった。動けたのは、必ずしも感染症対応を専門としないDMAT（災害派遣医療チーム）をはじめとする各医療団体の災害支援チームであった。また、日本環境感染学会のDICT（災害感染制御チーム）や国立感染症研究所、国際医療福祉大学や国立国際医療研究センターなどの感染症専門家も活動をいただいたが、入れ替わりながらの対応となった。

DMATについては、その後の新型コロナウイルス感染症の蔓延の中で医療機関や行政の重要な支援体制として活躍しており、それに代わる存在をつくるよりも専門性を高める方向が望ましい。ただ今回は、感染症の蔓延は災害に位置づけられていないため、制度的には変則的な派遣でありその点での苦労があった。一方でDICTなど感染症対策を現場で行う専門家の方については、今回その専門性をそれぞれに発揮していただいたものの、行政的な位置づけのない中

での臨時的・現場的な対応であり、補償もない中で活動していただくこととなった。その後の蔓延期において、厚生労働省クラスター班がしばしばクラスターが発生した地域や施設に派遣されることになったこと、各都道府県において専門家チームが独自に編成され活動することとなったことを踏まえれば、改めて政府として制度化し、全国的な体制整備を行うべきである。

なお今回ダイヤモンド・プリンセス号の対応にあたり、PCR 検査のキャパシティも一つのハードルとなった。後の感染症蔓延時にも課題となった点であり、普段からの充実も必要であろう。こうした点を踏まえ、

- **DMAT などの災害派遣チームのミッションとして、感染症による災害的な状況も制度として位置付け、その研修内容に感染症への対応に関する事項を追加すること**[1]
- **政府として DICT（災害感染制御チーム）を制度化すること**
- **検疫所、地方衛生研究所などの PCR 検査のキャパシティを拡充すること**

などの対応を今後行うべきと考える。

またダイヤモンド・プリンセス号対応にあたり心苦しかった点の一つは、本来検疫の対象であった乗員に、乗客へのサービスを頼らざるを得なかったことである。感染症蔓延の疑いがある施設の中で、食事や清掃といった生活支援サービスをどう確保するかという点は、その後の医療機関や宿泊療養施設においても問題となり、医療従事者、特に看護師の負担を高める原因となった。そのため、

- **感染症発生時における生活サービスを行うための研修や機材を整えた事業者などを日頃から育成しておくこと**

などの取り組みが求められる。

---

[1] DMAT の研修に感染症対応の研修を始める方針を厚生労働省が固めたという報道[73)]が令和 3 年 3 月 27 日にあった。しかし未確認のためこのまま記載する。

日本版CDCなど司令塔機能に関する議論はあるが、実際に現場で活動する人員を日頃から養成し装備を蓄積しておくことの重要性を、ここでは指摘したい。

災害級の検疫に対応する法制度や体制などの整備

国際的な観光を行うクルーズ船には、旗国、運営会社の所在する国、寄港地の国など様々な国が関与する。例えば今回のダイヤモンド・プリンセス号については、旗国は英国、運営会社の所在は米国、そして寄港地は日本、香港、ベトナム、台湾であった。その中で、感染症が発生した船舶を救助する義務がどの国に生じるかは定められていない。日本は、人道的な観点からダイヤモンド・プリンセス号を受け入れ、検疫と支援を行ったが、その直後に他のクルーズ船は寄港や入国を認めなかった。世界各地でクルーズ船の受け入れ拒否が発生し、6週間にわたる航海を余儀なくされた例もあった[74)]。このような事態に備え、

- **クルーズ船において感染症が発生した場合の責任分担について国際的に取り決めておくこと**

が必要である。

一方、国内において検疫法などの整備はあった。しかしダイヤモンド・プリンセス号の対応においてはその規模の大きさの故に、横浜検疫所や厚生労働省でも対応しきることはできず、他省庁や自治体を巻き込んだ対応を行わなければならなかった。そうした災害級の検疫に対するための法律的な根拠は皆無であった。例えばDMATは、本来は災害救助法に基づいて都道府県知事が要請をして活動を行うものである。しかし感染症の蔓延は災害法制における「災害」の定義に含まれないという壁があり、結局は厚生労働省DMATについては安倍総理の指示、神奈川県DMATについては黒岩知事の決断によって超法規的に要請が行われた。その結果、活動は行われたものの保険の適用や補償な

どの面で調整に手間取ることとなった。こうしたことが重ねて起こり得るという認識からすると、

● **災害級の検疫や感染症の蔓延に備え、災害法制やそれに基づく体制が必要に応じて援用できる規定を整備すること**

が必要である。

なお検疫法については、検疫中の船舶から上陸することについての規定はあるものの、乗船することについては規定がなく、支援チームのDMATの医師ですら臨時的に検疫官として扱うことで乗船を認める対応を現場で行うこととなった。感染症の蔓延が疑われる船舶への立ち入りは国内への感染拡大リスクともなり得ることであり、法律の裏付けのもとで適切な管理を行うべきであろう。

● **検疫法において、検疫中の船舶などへの乗船についての規定を設けること**

が必要である。

また広報コミュニケーションの体制については、当時の厚生労働省としては誠実に対応していたものと考えるが、しかし世界中から注目が集まる災害級の事態に対して、残念ながらなお改善の余地はあったものと考えられる。厚生労働省ないし政府として、防衛省・自衛隊の体制も参考にしつつ、

● **クライシス・緊急事態リスクコミュニケーション（CERC）の考え方により広報体制の充実を日頃から図ること**

を提言する。

現場での対応についての検証と今後への備え

現場における対応について、厚生労働省をはじめ日本側の支援チームおよび船長以下ダイヤモンド・プリンセス号乗員のいずれも、未知の感染症の蔓延という状況下、それぞれの持てる力を発揮して対応していただいた。個人的に

は、船内外を問わず素晴らしいチームで仕事をすることができたことを心から感謝している。ただ、後から振り返ればという前提において今後に向けて改善すべき点もあったものと考える。

ひとつは、仮検疫済証の取り消しや臨船検疫を行う際には、その時点では念のためということにはなるが、感染症の蔓延を疑っているわけであり、その対策について注意を促すことも当初からあわせて行うようにすべきであろう。

また、5日に船舶内での検疫を決定した際、厚生労働省本省からは正林審議官1名のみを船内に派遣した。しかしその後の展開を考えると、最初から複数名の人員を派遣し、現地状況の把握と本省との連絡、日々の発症者数などの疫学データの共有などをより緊密に行うようにするように検討するべきであろう。

船内において課題になったことの一つは、乗客および乗員の名簿の管理であった。PCR検査の検体採取、新規陽性者および濃厚接触者の判明、医療機関や宿泊施設への下船・搬送など、日々のオペレーションにより刻々と変化する乗客および乗員の状況を把握集計することは膨大な事務作業となり、非常に苦労した。今回のような支援チームにおいては、医療的な支援を行う人員とともに、ロジスティクスなどの事務を行う職員も充実が重要である。

厚生労働省などから派遣された職員を感染させてしまったことは、誠に残念なことであった。自分たちを守ることが他の人をも守ることに繋がるのが感染症対策なのであるが、厚生労働省においては、個々人の資質に頼ってしまい組織的な対応ではなかった。技官か事務官かを問わず、事前にPPEの着脱方法や手指消毒の方法などについて研修を行ってから感染症の現場に派遣することを徹底すべきである。また人員派遣そのものもアドホックに行われており、現地では日々誰がいつまで支援チームにいるか確認しながら作業にあたる状況もあった。

責任者としての橋本の行動や判断についても、I章に記したように、船内立ち入りの経緯や軽率なTwitter投稿など、批判的に検討されるべき余地は十分あるものと考える。

こうしたことを総合すると、ダイヤモンド・プリンセス号の対応における厚生労働省および政府の対応の本質的な問題は、今回発生したような災害級の検疫に対して事前の想定も備えもなかったために、早期からの現地情報把握、現地対策本部の設定、医療的な支援のあり方や体制、感染対策、生活支援、そして広報のあり方に至るまでの意思決定が、場当たり的にならざるを得なかったことであったといえる。

こうした反省を踏まえ、

- **今回の事態について厚生労働省も検証を行い、今後の緊急事態対応についてマニュアルや体制の整備、日ごろからの訓練などに取り組むこと**

を強く望む。

雑感：クルーズ船とDICT

前 岩手医科大学附属病院 感染制御部 部長
櫻井　滋
（現 みちのく愛隣協会 理事、東八幡平病院 危機管理担当顧問）

ある日、ある場所で災害は突如発生する。災害が予測不能で予備的避難が行われていない状況では、避難・調査・救助などの全ての社会的対応（行動）は発災後に始まる。その環境、その場所が待避行動をとり得ない状況であった場合には、被災環境において最大限の安全確保にあたらざるを得ない。クルーズ船はまさにそのような場所であった。

さらに、被災者自らが被災した場から逃れる手段を持たなければ、誰かが被災地に赴いて被災者を救済する必要があり、いわゆる海難事故はまさにそのような対応が求められる場面である。しかし、海難事故に対応する日本の水難救護法には感染症による乗員乗客の危機を救うべき条文は存在しないのである。

一方、医療機関における施設内感染を防止し、施設内流行を阻止し、最終的に患者と医療従事者を感染症の脅威から守るための法令として感染症法や医療法の医療関連法規があり、学問としては感染制御学がある。そのような法令を執行するのが厚生労働省であり、学問を奨励し担い手を育てようとする民間学術団体が日本環境感染学会（JSIPC）である。

1980年代半ばからブドウ球菌および緑膿菌の病院感染やMRSAおよび多剤耐性菌が社会問題となり、海外ではacquired immunodeficiency syndrome（AIDS）が問題となっていた。当時岩手医大教授であった川名林治先生が主催した東八幡平（ひがしはちまんたい）シンポジウムでは、病院感染への対応には医師のみでは足りず、コメディカルを含むチーム医療が欠かせないという立場から、関係職種のための学会設立機運が高まり、1985年に学会設立準備委員会が発足した。以降、院内感染対策の基礎を確立して厚労省の院内感染対策事業の中心として長く活躍した小林寛伊先生や大久保憲先生をはじめ、歴代リーダーが理事長を務めてきた。JSIPCでは環境由来感染の一つとして病院感染を位置づけ、病院感染制御を中心的課題とするが、災害などの環境変化によって発生する感染症、感染症の疫学調査と原因の究明、感染予防対策、病院建築設備と感染、腸管感染症などに課題を広げてきた。近年、病院感染制御の領域では、薬剤耐性菌の多発、院内での空気感染、医療技術の向上に伴う複雑な感染、易感染患者に対する日和見感染症などが特に課題となり、学会の果たす役割は多岐にわたっている。

そのような中で、JSIPC災害時感染制御支援チーム（DICT）は、2011年の東日本大震災時の教訓から、当時のJSIPC理事長である賀来満夫先生の指導のもと、環境の激変と強制的な集団生活を余儀なくされる「大規模自然災害の避難所」を対象とする感染制御支援チームとして構想され、今まさに全国組織化の途上にある集団である。

今回、橋本岳先生のご著書に登場するDICTは厚生労働省からJSIPC吉田正樹理事長への依頼で急遽派遣されることとなったのであるが、実際には「横浜での船内で、船舶の管理会社より船内の院内感染対策の指導に対する要請が上がっているが、対応チームでは患者さんの検体採取などがあり全く手が回らないそうです。どなたか有志が学会から行って下さることは可能でしょうか」との電子メールによる問いかけに端を発していたと記憶している。その後、吉田理事長とのやりとりでは3,000名以上の対象者に対して感染制御活動をするためには、最低でも7-8チームの派遣が必要だろうと推定した。その時点で、国内ではすでにCOVID-19患者が確認されており、船内の重症患者を引き受けている国立国際医療研究センターをはじめ、各専門医療機関は患者の治療に対応せざるを得ず、どの施設も感染制御の指導には充分な人員を割けないだろうと予測していた。

おそらく厚生労働省は事案の制御は検疫業務の範疇を超えることを早期に認識し、災害対応を迫られたのであろう。その過程は著書に譲るとして、国による「救助」は災害救助法に基づき厳密に規定されていて、少なくとも同法は国内事例のためにあり、検疫中の船舶に適応されるものではないことは明らかである。一方、船内で生じていると考えられる感染症の蔓延（施設内流行）は自国民を巻き込んでいることが明白な上、検疫という制度自体が感染症の国内蔓延を水際で阻止しようとするものであるから、所管官庁である厚生労働省は矢面に立たざるを得なかったことは想像に難くない。

そのような中で我々DICTの位置付けは、厚生労働省の防災業務計画の第2編、第2章、第8節 防疫（疫病の防止）対策の各項にその根拠を求めることができる。この省内の計画書では、市町村等の務めとして「（5）被災都道府県・市町村は、避難所等における衛生環境を維持するため、必要に応じ、日本環境感染学会等と連携し、被災都道府県・市町村以外の都道府県及び市町村に対して、感染対策チーム（ICT）の派遣を迅速に要請すること。」との記載が見られる。しかしながら、今般事例はいわゆる自然災害でもなく、市町村の所掌事案でもない。そのため、厚生労働省自身が感染対策チームの派遣を直接要請した初めての事案と捉えることができる。厳密な法解釈のもとでは、拡大解釈に過ぎないとの謗りもあろう。しかし、逆に言えば拡大解釈をせざるを得ないほど事態は逼迫しており、その後に日本が巻き込まれることになる「国家的大災害」を考えれば、現行法の隙間を狙うかのようなSARS-CoV-2のような病原体に対する今後の日本の備えを、さらに強靭なものとするために避けては通れない経験であったと言えるのかもしれない。

上述のように船に乗り合わせた乗客乗員は、物理的にはともかく法的には船を離れることができなかった。なぜならば検疫済の証明がないからであるが、検疫官も検疫が終了しない限り誰一人船から降ろし、ましてや入国を許可することは法的に許されなかった。筆者自ら離船直後の報告会の場で述べたように、「船の中は外国」だったのである。さらに、国外であるばかりでなく、流行が生じているまん延国だったのである。そして、豪華なクルーズ船とはいえ、その物理的構造は感染者の管理をするための感染症専門医療機関のそれとはかけ離れており、見た目に巨大ではあるがリゾートホテルを圧縮したような狭小な生活環境である。環境要因は感染症の発生や伝播、そしてその制御に大きく影響する。だからこそ、医療機関には感染症専用病床が作られ、対応する医療従事者を保護するために個人防護具が開発されてきたのである。しかし、すでに建造され現に存在しているクルーズ船の全ての居室に医療機関のような環境を望むことは不可能である。この点は、災害時の避難所との共通項である。

DICT には PreDICT（プレディクト）という手順が規定されている。発災直後にいち早く現場に赴き、被災地の状況や避難所の環境をアセスメントし、必要な感染制御の手段を見出すことが務めである。その情報を DICT 本体や自治体の災害対策担当部署に伝達し、適切な感染制御環境や行動を形成するための初期情報を収集する斥候的役割である。

DICT 関連では、2019 年 2 月 8 日ごろから、長崎大学の泉川公一教授が既に状況把握を開始していたが、柏の検疫施設にも関わっており、DICT チームの即時派遣は困難と踏んでいた。直近の支援チームに活動を期待することができないとの判断で、2019 年 2 月 11 日には櫻井 滋（感染制御医：筆者）と中澤 靖（感染制御医：現慈恵医大教授）、菅原えりさ（感染管理認定看護師：現東京医療保健大学教授）、美島路恵（感染管理認定看護師：慈恵医大病院感染制御部）の 4 名からなる PreDICT が横浜検疫所での事情聴取を当初の目的として、日本大通り駅に集合し横浜検疫所に向かった。検疫所員の大半はクルーズ船に出向いており、聞き取りは現地でとの説明があり、急遽検疫所員が運転する公用車で大黒埠頭に向かった。

埠頭に着くまでの車中で船が排水処理のため岸壁を離れるとの情報が入り、聴取の時間をとることが難しい状況となった。とりあえず、船内の検疫官や国立感染症研究所のメンバーから状況を聴取するためには乗船せざるを得ないと判断した。大黒埠頭に着くと誰からともなく「本当に乗りますか」との声が上がった。感染対策者にとって未知の病原体は、常に「致死的で最も防護が困難な空気感染経路を採りうるかもしれない」と考えるのが定石である。PreDICTは、急遽学会の賛助会員である感染対策機器を取り扱うモレーン社の草葉恒樹社長の協力を得て、空気感染予防策に対応する携帯型の電動ファン付き呼吸用保護具（PAPR）を半ば強引に調達した。しかし、横浜での宿泊先や所属施設長からの正式許可、費用の支弁の目処や傷害保険の手配もないままに船に向かうことをメンバーに強要することはできないと判断し、「私は行くが、同行は任意」と告げた。結果的に 4 人全員が無言のまま船内に向かったのであった。公的な組織ではない現時点の DICT には公務員のような身分保証や損害の補填はないのである。

16：30 に所定の ID カードを作成した上で乗船し、船内では正林督章審議官や井上 肇先生、国立感染症研究所の先生、そして船医の先生ほかから貴重な予備情報が得られ、運行会社客室担当者からの直接聴取や船内での実況見分（感染対策ラウンド）が実現した。船内は客室部分や検体を取り扱う制限区域（いわゆる赤ゾーン）と支援医療班の着替えや物品を保管する中間エリア（イエロー相当)、待機やミーティングが行われるラウンジ（グリーン相当）に分離されていたが、ゾーンの行き来について気付く点もあった。船は 18：00 過ぎ頃に離岸して房総半島沖に向かった。当初は船内に長時間止まる予定ではなかったが、結果的に4名は船内で一夜を過ごすこととなった。22時過ぎに持参した夕食をとりラウンド結果を分析検討して23：28にメールで吉田理事長に報告した。食事は客室担当クルーにより共通のカートに乗せられて客室や対策本部となっているラウンジまで運ばれていたことを確認した。同時点でかなりの感染者が存在すると考えられる客室に留め置かれた乗船客との直接的会話は最小限であり、やりとりは食器やリネンのみとのことであった。既に行われている感染対策を改善することはかなりの困難が伴うというのが我々の業界の常識であり、翌日からの活動が厳しいものとなることが明らかで、筆者も中澤教授もほとんど眠れない夜を過ごした。

その時点では船内の感染者分布を示す一覧図（ベッドマップ）は手元に無かったが、疫学調査班のお計らいで客室の一覧表に丸印で示された図が提供された。2月11日23時の時点で判明した感染者は船内の多くの客室や居室に分布していたが、レストラン部門を担当する職員の居室があるデッキに集中する傾向もあった。船内ラウンドでは乗員の居室にも目につく点を確認した。クルーの食事時間においても、客用のラウンジとは異なる職員食堂は食中毒対応の手洗い設備こそ充実しているものの、着座距離や位置には改善を提案した。そして、彼ら全員を隔離することは船内の乗船客のみでなく、対応にあたる人々への食事供給が停止することを意味していた。

PreDICTが乗船した時点で、ほぼ全てのクルーズ船職員（船員）が空気感染に対応するN95マスクを装着していたが、後にその装着について教育を行うこととした。

しかも、PreDICTが乗船した時点ではDMAT以外の多くの政府側職員が空気感染に対応してない不織布マスクだったにもかかわらず、感染者は限定的で感染者の確認頻度はむしろN95マスクを使用している船員が多かったのである。そして、のちに確認される支援側の感染者にはN95を使用していたはずの

DMAT メンバーが含まれていた。

真に科学的に証明されたとは言い難いが、現地で判断しうる状況は空気感染以外の要因の存在を示唆していた。閉鎖空間や飛沫発生作業に伴うマイクロ飛沫の関与を否定するものではないが、CDC の隔離予防策ガイドラインの解説（I.B.3.b. Droplet transmission. https://www.cdc.gov/infectioncontrol/guidelines/isolation/scientific-review.html）によれば Droplet transmission is, technically, a form of contact transmission, and some infectious agents transmitted by the droplet route also may be transmitted by the direct and indirect contact routes.（飛沫感染は技術的には接触感染の一形態であり、一部は直接間接の接触で伝播するかもしれない）と記載されている。ともあれ、2 月 12 日の夕刻に船内で橋本副大臣や自見はなこ政務官にお会いして説明した際には、この点について申し上げたことを記憶している。本書では、橋本先生自身により実に詳細かつ正確に説明内容を記述されており、感染制御を業務としているものとしても舌を巻くレベルである。このような医学生ばかりならば日本の感染制御も充実するはずであるが、多くの学生は新技術や侵襲的手技、画像診断には興味を示す一方で、全ての医療提供の基本である手指衛生の重要性すら正確には理解していないであろう。

PreDICT は、岩手県の ICAT メンバーから高橋幹夫氏（感染制御認定臨床微生物検査技師 ICMT）と小石明子氏（感染管理認定看護師）を DICT 本隊として船内に招請し、クルーたちにマスクの装着方法や手指消毒の方法を指導し、賛助企業丸石製薬の協力で船外から調達した 800 個以上の肩掛け式携帯容器をクルーに配布した。

さらに、危険作業に従事する自衛隊医官や赤十字、日本医師会や神奈川県医師会の皆さんに個人防護具の装着方法や行動時の注意点を船内で泉川教授らが撮影した動画を交えて指導した。また、高齢者を中心に重症化する患者が見られる中で搬送を担当する DMAT や DPAT の感染リスクは次第に高まっていた。

さらに、感染が確認された乗船客を支えるエッセンシャルクルーに感染が拡がり続ければ、検疫や医療支援を行っているスタッフにも早晩感染が拡がることを危惧した。いかに完全な知識と機材、感染防護の技術をもってしても最終的にクルーズ船の「環境」は感染制御や感染症の治療にとって極めて不利であることは明白であった。そのことを説明するために我々は霞ヶ関の厚労省本省に向かった。

幸い、介入以降の数日間でクルーの感染確認例は減少し厚労省の必死の調整と国内医療機関の献身的な患者受け入れ努力により全員の下船という、感染制御環境の適正化が実現したのは橋本先生の記述にあるごとくである。

図10：サボイ・ダイニングにて（左から櫻井、橋本、泉川）

あの時のクルーズ船は我々にとっては遭難の地であり、橋本副大臣（当時）も DICT も、大きな意味では救助者の立場にあったと回想する。

それにしても、我々感染対策者でさえも最悪の事態を覚悟して臨むような、さまざまな危険が存在する被災現地に立法府の責任ある立場の人物が直接赴くことは極めて異例であろうと思われ、まして今回の事案は一見して海難事故でもなく、災害でもないことから、本来我々が出会うはずのない人物だったのである。しかし、その真摯な人柄とともに生涯の記憶に残る経験となった。

かかりつけ医や救急医のように、常に目に見える存在ではないが感染症流行の現場で感染制御技術を提供する担い手の育成と定着を期して「大規模自然災害の被災地における感染制御支援マニュアル 2021」の公開が間近に予定されている。

最後に、今後の医療法や災害対策基本法の整備により「災害時感染制御チーム」の概念が災害医療の一部として確立され、感染制御がいわゆる予防医学と救急医療を繋ぐ国の安全装置であることを国民の皆さんに広くご認識いただける日が来ることを願っている。

（令和 3 年 8 月 14 日）

参 考 文 献

1） 厚生労働省健康局結核感染症課（監修）．詳解 感染症の予防及び感染症の患者に対する医療に関する法律　四訂版．中央法規出版．2016．882p., ISBN978-4-8058-5367-2.

2） 時事通信．武漢滞在邦人，全希望者を帰国 新型肺炎対応，チャーター機活用も－政府方針．nippon.com．2020-01-26．https://www.nippon.com/ja/news/yjj2020012600584/,（参照2021-08-13）．

3） NHK．帰国者受け入れ施設で内閣官房の男性職員自殺か．NHK．2020-02-01．https://www3.nhk.or.jp/news/html/20200201/k10012269071000.html,（参照2021-08-13）．

4） 国立感染症研究所．中国武漢市からのチャーター便帰国者について：新型コロナウイルスの検査結果と転帰（第四報：第4, 5便について）および第1～5便帰国者のまとめ（2020年3月25日現在）．IASR．2020, Vol.41, p.80-82．https://www.niid.go.jp/niid/ja/diseases/ka/corona-virus/2019-ncov/2488-idsc/iasr-news/9557-483p04.html,（参照 2021-08-13）．

5） 国立病院機構本部DMAT事務局．“令和元年度から令和2年度のDMAT活動報告について”．第21回救急・災害医療提供体制等の在り方に関する検討会資料1，2020-08-21，厚生労働省．https://www.mhlw.go.jp/content/10802000/000660956.pdf

6） 株式会社カーニバル・ジャパン．“日本生まれの大型豪華客船，ダイヤモンド・プリンセス”．豪華客船で行くクルーズ旅行｜プリンセス・クルーズ．https://www.princesscruises.jp/ships/diamond-princess/,（参照 2021-08-13）．

7） “ダイヤモンド・プリンセス（客船）”．『フリー百科事典 ウィキペディア日本語版』（https://ja.wikipedia.org/），（参照 2021-08-13）．

8） 国立感染症研究所．“現場からの概況：ダイアモンドプリンセス号におけるCOVID-19症例”．2020-02-19．https://www.niid.go.jp/niid/ja/diseases/ka/coronavirus/2019-ncov/2484-idsc/9410-covid-dp-01.html,（参照 2021-08-13）.

9）国立感染症研究所．“現場からの概況：ダイアモンドプリンセス号における COVID-19 症例【更新】”．2020-02-26．https://www.niid.go.jp/niid/ja/diseases/ka/corona-virus/2019-ncov/2484-idsc/9422-covid-dp-2.html,（参照 2021-08-13）.

10）沖縄県．“新型コロナウイルス感染症患者の発生について”．沖縄県．2020-02-14．https://www.pref.okinawa.lg.jp/site/hoken/kansen/soumu/press/documents/20200214_covid19_1.pdf,（参照 2021-08-21）.

11）沖縄県．“新型コロナウイルス感染症患者の発生について（第2報）”．沖縄県．2020-02-19．https://www.pref.okinawa.lg.jp/site/hoken/kansen/soumu/press/documents/20200219_covid19_2.pdf,（参照 2021-08-21）.

12）木下隆児，宮川友理子．“クルーズ船で何が起きた”．NHK 政治マガジン．2020-03-04．https://www.nhk.or.jp/politics/articles/feature/31092.html,（参照 2021-08-13）.

13）橋本佳子．“政務官が語る「ダイヤモンド・プリンセス」の真実－自見はなこ・厚労政務官に聞く◆ Vol.1 第一報から危機を意識，世界が注目する未曾有の事態に”．m3.com．2020-07-06，https://www.m3.com/news/iryoishin/792372,（参照 2021-08-13）.

14）広野真嗣．ルポ 豪華客船「船内隔離」14 日間の真実｜ダイヤモンド・プリンセス号で何が起きていたのか？．文藝春秋 2020 年 4 月号，2020，vol.98，no.4，p.138-149.

15）西澤光義，“検疫”．小学館 日本大百科全書（ニッポニカ）．コトバンク．https://kotobank.jp/word/%E6%A4%9C%E7%96%AB-60272,（参照 2021-08-14）.

16）横浜検疫所．“横浜検疫所の変遷”．厚生労働省横浜検疫所横浜検疫所検疫史アーカイブ．https://www.forth.go.jp/keneki/yokohama/museum/page2-1.html,（参照 2021-08-21）.

17）安住淳．衆議院予算委員会での基本的質疑の対応について．立憲民主党．2020-02-02．https://www.dpfp.or.jp/download/47292.pdf，（参照 2021-08-14）．
18）一般財団法人アジア・パシフィック・イニシアティブ．新型コロナ対応・民間臨時調査会 調査・検証報告書．ディスカヴァー・トゥエンティワン．2020．466p., ISBN978-4-7993-2680-0.
19）新型コロナウイルス感染症対策本部．“新型コロナウイルス感染症対策本部（第5回）議事概要”．内閣官房．2020-02-05．https://www.kantei.go.jp/jp/singi/novel_coronavirus/th_siryou/gaiyou_r020205.pdf，（参照 2021-08-14）．
20）橋本岳．“新型コロナウイルス感染症の現状と見通しについて（2/6晩現在）”．橋本がくブログ．2020-02-07．http://ga9.cocolog-nifty.com/blog/2020/02/post-38ea26.html，（参照 2021-08-14）．
21）厚生労働省．“指定医療機関の指定状況（令和2年10月1日現在）”．厚生労働省．https://www.mhlw.go.jp/bunya/kenkou/kekkaku-kansenshou15/02-02.html，（参照 2021-08-14）．
22）瀧野隆浩．ドキュメント ダイヤモンド・プリンセス号の実相（1）～（15）．毎日新聞．2020-09-01 ～ 19．朝刊．
23）瀧野隆浩．世界を敵に回しても，命のために闘う：ダイヤモンド・プリンセス号の真実．毎日新聞出版．2021．222p., ISBN978-4-6203-2678-8.
24）国立病院機構本部DMAT事務局．ダイヤモンド・プリンセス号DMAT活動報告書．2020．
25）日本経済新聞．クルーズ船で新たに数十人を検査 医薬品不足も深刻．日本経済新聞．2020-02-08．https://www.nikkei.com/article/DGXMZO55437680Y0A200C2CZ8000/，（参照 2021-08-14）．
26）新型コロナウイルス感染症対策本部．“新型コロナウイルス感染症対策本部（第7回）議事概要”．内閣官房．https://www.kantei.go.jp/jp/singi/novel_coronavirus/th_siryou/gaiyou_r020212.pdf，（参照 2021-08-14）．
27）橋本岳．“クルーズ船「ダイヤモンドプリンセス号」について”．橋本がくブログ．2020-02-09．http://ga9.cocolog-nifty.com/blog/2020/02/post-e2d86d.html，（参照 2021-08-14）．

28）しんぶん赤旗．隔離乗客 手書き要請書 環境が急速悪化 病人の放置も 支援ネット結成「体制整備早く」新型肺炎 クルーズ船．日本共産党．2020-02-11. https://www.jcp.or.jp/akahata/aik19/2020-02-11/2020021115_01_1.html，（参照 2021-08-14）．

29）湊 櫻．ダイヤモンドプリンセス乗船手記．カクヨム．2020-04-22．https://kakuyomu.jp/works/1177354054895024939，（参照 2021-08-14）．

30）小柳剛．「メガ・クラスター」クルーズ船乗客を激怒させた橋本副大臣のアナウンス 反省はなく，実績を自慢しはじめた．PRESIDENT Online．2020-05-02．https://president.jp/articles/-/35069，（参照 2021-08-14）．

31）新型コロナウイルスに関連した感染症対策に関する厚生労働省対策本部．“クルーズ船内で医療救護活動に従事されている皆様へ”．厚生労働省．2020-02-14．https://www.mhlw.go.jp/content/10900000/000596279.pdf，（参照 2021-08-14）．

32）だぁ（On board the Diamond Princess/ 乗船中乗客）（@daxa_tw）．“船内アナウンス 2 月 14 日 18 時 27 分 バレンタインデー．愛のメッセージ”．Twitter．2020-02-14．https://twitter.com/daxa_tw/status/1228251204632760320，（参照 2021-08-14）．

33）BostonP．渦中のダイヤモンドプリンセスから（2 月 14 日 17：00 時点）｜BostonP ブログ．Cruisemans．2020-02-14．https://cruisemans.com/b/bostonp/12048，（参照 2021-02-14）．

34）一般財団法人アジア・パシフィック・イニシアティブ，前掲書，p.90.

35）小柳剛．集団感染のクルーズ船で夫妻が巻き込まれた「下船日の大混乱」自力で帰ることも聞いていなかった．PRESIDENT Online．2020-05-29．https://president.jp/articles/-/35789，（参照 2021-08-14）．

36）だぁ（On board the Diamond Princess/ 乗船中乗客）（@daxa_tw）．“船内アナ

ウンス①2月16日15時23分 厚生労働副大臣 橋本岳より”．Twitter．2020-02-16．https://twitter.com/daxa_tw/status/1228930925670461440,（参照 2021-08-14）．

37）西浦博，川端裕人．理論疫学者・西浦博の挑戦－新型コロナからいのちを守れ！．中央公論新社．2020．292p., ISBN978-4-1200-5359-7.

38）新型コロナウイルス感染症対策専門家会議．“資料5クルーズ船内の患者の発症日について”．内閣官房．2020-02-19．https://www.kantei.go.jp/jp/singi/novel_coronavirus/senmonkakaigi/sidai_r020219-1.pdf,（参照 2021-08-15）．

39）新型コロナウイルス感染症対策専門家会議．“新型コロナウイルス感染症対策専門家会議（第2回）議事概要．内閣官房．2020-02-19．https://www.kantei.go.jp/jp/singi/novel_coronavirus/senmonkakaigi/gaiyou_r020219.pdf,（参照 2021-08-15）．

40）厚生労働省．“クルーズ船内で14日間の健康観察期間が終了し下船した方に対する健康フォローアップの終了について”．厚生労働省．2020-03-15．https://www.mhlw.go.jp/stf/newpage_10207.html,（参照 2021-08-15）．

41）厚生労働省．“クルーズ船「ダイヤモンド・プリンセス号」内の感染制御策について”．厚生労働省．2020-02-20．https://www.mhlw.go.jp/content/10900000/000598163.pdf,（参照 2021-08-15）．

42）山岸拓也ほか．ダイヤモンドプリンセス号環境検査に関する報告．国立感染症研究所．2020-09-14．https://www.niid.go.jp/niid/ja/diseases/ka/corona-virus/2019-ncov/2484-idsc/9849-covid19-19-2.html,（参照 2021-08-15）．

43）田村浩一．清潔と不潔．モダンメディア．2018．64(7)．https://www.eiken.co.jp/modern_media/backnumber/miscellaneous/700/,（参照 2021-08-15）．

44）神奈川新聞．クルーズ船が大黒ふ頭離岸 横浜で整備，5月運行再開へ．カナロコ．2020-03-25．https://www.kanaloco.jp/news/social/entry-309678.html,（参照 2021-08-15）．

45）西浦博，川端裕人．前掲書，p.38-39.

46）厚生労働省ダイヤモンド・プリンセス号現地対策本部．ダイヤモンド・プリンセス号現地対策本部報告書．厚生労働省．2020-05-01．https://www.mhlw.go.jp/content/10900000/000627363.pdf，（参照 2021-08-15）．
47）関塚剛史ほか．新型コロナウイルス SARS-CoV-2 のゲノム分子疫学調査（2020 年 10 月 26 日現在）．IASR．2020，Vol.42，p14-17．https://www.niid.go.jp/niid/ja/diseases/ka/corona-virus/2019-ncov/2488-idsc/iasr-news/10022-491p01.html，（参照 2021-08-15）．
48）小暮哲夫．クルーズ船の乗客数万人，下船許されず 豪州沖に 14 隻．朝日新聞デジタル．2020-03-27．https://www.asahi.com/articles/ASN3W5DZPN3WUHBI015.html，（参照 2021-08-15）．
49）BBC. Ruby Princess : New South Wales premier apologises over cruise ship outbreak. BBC News. 2020-08-17. https://www.bbc.com/news/world-australia-53802816,（参照 2021-08-15）.
50）Gower, Patrick. Coronavirus : New Hawke's Bay cluster linked to Ruby Princess cruise ship responsible for hundreds of Australian cases. Newshub. 2020-04-03. https://www.newshub.co.nz/home/new-zealand/2020/04/coronavirus-new-hawke-s-bay-cluster-linked-to-ruby-princess-cruise-ship-responsible-for-hundreds-of-australian-cases.html,（参照 2021-08-15）.
51）国立感染症研究所，前掲[8)]
52）Nishiura, Hiroshi. Backcalculating the Incidence of Infection with COVID-19 on the Diamond Princess. Journal of Clinical Medicine. 2020; 9(3): 657. https://doi.org/10.3390/jcm9030657. https://www.mdpi.com/2077-0383/9/3/657,（参照 2021-08-15）.
53）長崎県新型コロナウイルス感染症対策本部ほか．＜速報＞長崎市に停泊中のクルーズ船内で発生した新型コロナウイルス感染症の集団発生事例：中間報告．国立感染症研究所．2020-05-22．https://www.niid.go.jp/niid/ja/diseases/ka/corona-virus/2019-ncov/2484-idsc/9622-covid19-20.html，（参照

2021-08-15）.

54）国立国際医療研究センター 国際感染症センター．急性期病院における新型コロナウイルス感染症アウトブレイクでのゾーニングの考え方．国立国際医療研究センター．2020-07-09. http://dcc.ncgm.go.jp/information/pdf/covid19_zoning_clue.pdf,（参照 2021-08-15）.

55）稲田清，地曳創陽．“クルーズ船 自衛隊は何をした？”．NHK 政治マガジン．2020-03-18. https://www.nhk.or.jp/politics/articles/feature/31928.html.（参照 2021-08-15）.

56）日本災害医学会理事会．“新型コロナウイルス感染症対応に従事する医療関係者への不当な批判に対する声明”．日本災害医学会．2020-02-22. https://jadm.or.jp/sys/_data/info/pdf/pdf000121_1.pdf,（参照 2021-08-15）.

57）東京新聞．＜新型コロナ＞感染者の周囲も差別 中傷，保育所の利用拒否…．東京新聞 TOKYO Web. 2020-04-09. https://www.tokyo-np.co.jp/article/17235,（参照 2021-08-21）.

58）自衛隊中央病院感染対策対処隊診療部新型コロナウイルス感染症対応チーム．“新型コロナウイルス感染症（COVID-19）について”．自衛隊中央病院．https://www.mod.go.jp/gsdf/chosp/page/report.html,（参照 2021-08-15）.

59）阿南英明．“神奈川モデルを基盤とした with コロナ社会医療”．武見基金 COVID-19 有識者会議．2020-08-21. https://www.covid19-jma-medical-expert-meeting.jp/topic/3464,（参照 2021-08-15）.

60）黒岩祐治．“新型コロナウイルス感染症の拡大を見据えた現場起点の医療体制「神奈川モデル」”．神奈川県．2020-03-25. https://www.pref.kanagawa.jp/docs/ga4/covid19/protect.html,（参照 2021-08-15）.

61）厚生労働省．“医療機関等情報支援システム（G-MIS）：Gathering Medical Information System”．厚生労働省．https://www.mhlw.go.jp/stf/seisakunitsuite/bunya/0000121431_00130.html,（参照 2021-08-15）.

62）厚生労働省．“新型コロナウイルス感染者等情報把握・管理支援システム

（HER-SYS）：”．厚生労働省．https://www.mhlw.go.jp/stf/seisakunitsuite/bunya/0000121431_00129.html，（参照 2021-08-15）．
63）和田耕治．“クルーズ船「ダイヤモンド・プリンセス号」から下船した新型コロナウイルス感染症患者等の受入に係る外国籍の患者の入院医療費の調査”．一類感染症等の患者発生時に備えた臨床的対応に関する研究．加藤康幸，2021．
64）厚生労働省．“短期滞在入国者等であって感染症の予防及び感染症の患者に対する医療に関する法律による入院患者の自己負担について”．厚生労働省．2021-06-28．https://www.mhlw.go.jp/content/000798936.pdf，（参照 2021-08-17）．
65）蝦名怜子，クライシス・緊急事態リスクコミュニケーション（CERC）危機下において人々の命と健康を守るための原則と戦略．大修館書店．2020．112p.，ISBN978-4-4692-6900-0．
66）山岸拓也ほか．ダイヤモンド・プリンセス号新型コロナウイルス感染症事例における事例発生初期の疫学．IASR．2020．Vol.41, p.108-108．https://www.niid.go.jp/niid/ja/typhi-m/iasr-reference/2523-related-articles/related-articles-485/9755-485r02.html，（参照 2021-08-15）．
67）Jimi, Hanako ; Hashimoto, Gaku. Challenges of COVID-19 outbreak on the cruise ship Diamond Princess docked at Yokohama, Japan : a real-world story. Global Health & Medicine. 2020. 2(2), p.63-65. https://doi.org/10.35772/ghm. 2020. 01038. https://www.jstage.jst.go.jp/article/ghm/2/2/2_2020.01038/_article/-char/ja,（参照 2021-08-15）．
68）正林督章．クルーズ船ダイヤモンド・プリンセス号での対応．日本内科学会雑誌．2020, 109(11), p.2339-2342．https://www.naika.or.jp/jsim_wp/wp-content/uploads/2020/11/nichinaishi-109-11-article_17.pdf，（参照 2021-08-15）．
69）Kondo, Hisayoshi; Koido, Yuichi; Kohayakawa, Yoshitaka; Anan, Hideaki. Japan DMAT operations in the Diamond Princess cruise ship : COVID-19 medical

operation. American Journal of Disaster Medicine. 2020. 15(3), p.207-218. https://doi.org/10.5055/ajdm.2020.0369.

70）Anan, Hideaki; Kondo, Hisayoshi; Takeuchi, Ichiro; Nakamori, Tomoki; Yu, Ikeda; Akasaka, Osamu; Koido, Yuichi. Medical Transport for 769 COVID-19 Patients on a Cruise Ship by Japan Disaster Medical Assistance Team. Disaster Medicine and Public Health Preparedness. 2020, 14(6), e47-e50. https://doi.org/10.1017/dmp.2020.187.

71）橋本岳．ダイヤモンド・プリンセス号現地活動の概要．橋本がくブログ．2020-04-19．http://ga9.cocolog-nifty.com/blog/2020/04/post-ff836e.html，（参照 2021-08-15）．

72）佐藤善光．“空母「セオドア・ルーズベルト」における COVID-19 感染及び艦長解任の経緯とその教訓（その 1）”．海上自衛隊幹部学校．2020-06-10．https://www.mod.go.jp/msdf/navcol/index5.html?c=column16401，（参照 2021-08-15）．

73）読売新聞．【独自】想定していなかった感染症対応，災害派遣医療チーム DMAT の研修に追加へ．読売新聞オンライン．2021-03-27．https://www.yomiuri.co.jp/politics/20210327-OYT1T50144/，（参照 2021-08-15）．

74）Amos, Owen. Coronavirus journey : The 'last cruise ship on Earth' finally comes home. BBC. 2020-04-20. https://www.bbc.com/news/world-52350262,（参照 2021-0815）．

75）加藤茂孝．検疫の始まった場所．モダンメディア．2020．66(12)．https://www.eiken.co.jp/modern_media/backnumber/miscellaneous/1187/，（参照 2021-08-15）．

76）山岡淳一郎．後藤新平 日本の羅針盤となった男．草思社．2014．492p, ISBN978-4-7942-2092-9.

以上に掲げた他、厚生労働省 Web サイトに掲載されている大臣記者会見録やニュースリリース、衆議院 Web サイトに掲載されている議事録などを随時参照した。

あとがき

元来、検疫とは残酷なものだ。検疫（quarantine）の起源は、本文中にも触れたが、感染症が発生している船舶およびその乗客乗員に対し、自国への感染症の流入を防ぐために40日間上陸を許さず隔離したことに由来する。加藤茂孝氏によると[75]、最初の検疫の地は現在のクロアチアにあるドブロニク港近くのロクルム島であり、この後に1377年からベネチアでも行われるようになった。ベネチアでは、港外のラザレット・ベッキオ（古い墓地)、ラザレット・ヌオボ（新しい墓地）という小島に40日間隔離された。2007年にラザレット・ベッキオで教会建築のために工事が行われ、500体の埋葬された人骨が発見された。すべて記録ではペストの患者であったという。

日本においても、1895年の日清戦争講和時に、復員する兵士たちからの感染症の上陸を防ぐために、大規模な検疫を行った例がある。2ヶ月の準備期間において広島沖の似島、下関に近い彦島、大阪近郊の桜島に、消毒部、停留舎、避病院、事務所、兵舎、倉庫、炊事場、トイレなどを含む各島100棟以上の大規模な施設整備や蒸気消毒用ボイラーの設置を行った。受け入れ開始から3ヶ月足らずの期間で船舶687隻23万名の検疫を行い、うち真性コレラ患者369名、疑似コレラ313名、腸チフス126名、赤痢179名、痘瘡9名と記録されている。児玉源太郎が臨時陸軍検疫部長として責任者を務め、後藤新平が指揮にあたった[76]。

しかし、現代の日本で感染症が蔓延した船舶の検疫を行うことになるとは、ダイヤモンド・プリンセス号が横浜港に到着するまで、想定していた人は多くはなかったのではないだろうか。さらには、準備の時間も上陸させる島や宿泊施設すらない。しかし、武漢市の様子を考えれば、新型コロナウイルス感染症を無秩序に国内に拡散させるわけにもいかない。そうした必要性に迫られて選択したのが、船内での客室待機という方法だった。

最悪の場合、船内で亡くなる方が発生することも内心想定しなければならなかった。その場合、その方は、日本に暮らす国民の安全のために、検疫法に基づく措置により大切な命を犠牲にしたことになる。そうでなくても、3,711名もの方々の私権を突如制限し不自由をかける。だとすれば、行政任せにしてはならず、国民の代表としての議員バッジを預かる立法府の者が、責任を持ってその場にいなければならない。そう思って、ダイヤモンド・プリンセス号内に赴いた。その結果、本文記載の顛末となったわけであるが、乗客の方々の忍耐と協力、厚生労働省やDMATをはじめとする支援チームや搬送先医療機関の方々の懸命の努力、船外からの温かい支援、そして何よりもアルマ船長以下乗員の方々のホスピタリティと責任感により、少なくとも船内で死者を出すことはなくミッションを終了することができた。関係した全ての皆さまに、心から感謝をしてやまない。

一方で、やむを得ぬ苦渋の選択とはいえ、同室者間の感染に眼をつぶらなければならなかったこと、乗客同様に感染リスクにさらされていた乗員に仕事を続けていただかなければならなかったことは、二度と繰り返してはならない人道上の罪にもあたり得ることと、個人的には思っている。今後とも背負っていかなければならないだろう。そして、まずは内部で何が起こっていたかを記し世に示すことが、その責任の取り方の最初の一歩であろうと考え、筆を執った次第である。またあわせて、ダイヤモンド・プリンセス号やこのミッションに関係した方々に、世間から不当なイメージを持たれているとすれば、その払拭につながることを願うものである。

このあとがきを執筆している2021年8月中旬現在、今なお新型コロナウイルス感染症は猛威を振るっている。幸いにしてワクチンは効果を示しており、その接種が進むことで、いずれそれなりに落ち着くものとは思われる。しかし、仮に新型コロナウイルス感染症が収まったとしても、数年後また次の新興感染症に世界が直面することは十分に考えうるし、その際には今回よりも一層適切に対応できるよう、教訓をまとめ対策を講じておく必要がある。そこまでが、今回のパンデミック対応の一端を担ったものの責務であろう。この記録がその際にいささかなりとも役に立てば、これに勝る幸いはない。

実のところ、昨年9月に厚生労働副大臣を退任した後は、気持ちの中ではしばらく燃え尽きたような状態になっていた。しかし、ある日たまたま、衆議院の当選同期で、今はテレビでコメンテーターとして大活躍している杉村太蔵さんとバッタリ新幹線の車内でお目にかかり、「ぜひ本に書いた方がいいですよ！」とお励ましをいただいた。そのおかげで筆を持とういう気持ちになれた。また執筆にあたり、作家の海堂尊先生に懇切に相談に乗っていただいた。DICTとしてダイヤモンド・プリンセス号に駆けつけていただいた櫻井滋先生には、通読いただき重要なコメントをいただいた上、貴重な文章を寄せていただいた。またその他ご確認をお願いした皆さまからも多くのコメントをいただき、より充実した内容とすることができた。最終的に出版の労を執っていただいた一般財団法人日本公衆衛生協会の松谷有希雄様、政田敏裕様、大和綜合印刷株式会社の髙安信之様のおかげで、書籍として世に出すことができた。それぞれの皆さまに、篤く御礼申し上げる。

そもそも、厚生労働副大臣として仕事ができたのは、地元である岡山県倉敷市・早島町の支援者の皆様のおかげである。また、副大臣室や橋本事務所スタッフの働き、そして4人の娘・息子たちの励ましに支えてもらって、重い役目を全うすることができた。心からの感謝しかない。

どの人にも、今は我慢しているがコロナ禍が収まったらやりたいことがあるのではないだろうか。私はいつか、ダイヤモンド・プリンセス号で、アルマ船長やあの乗員の方々とともに、普通の船旅がしてみたい。不幸にも感染症禍に見舞われてしまい、その苦難を見届ける役割を背負うことにはなったが、ダイヤモンド・プリンセス号はそれでもそう思わせるだけの魅力を持った、素敵な船であった。

一日も早く、再び平穏な日々が世界と彼女に訪れることを願う。

2021年8月　「老人と海」を再読した日に　　　　　　　　　　　　橋本　岳

【著者略歴】

橋本　岳（はしもと　がく）

1974年岡山県生まれ。96年慶應義塾大学環境情報学部卒業。98年慶應義塾大学大学院政策・メディア研究科修士課程修了。修士（政策・メディア）。

株式会社三菱総合研究所研究員を経て、2005年衆議院議員に初当選。厚生労働大臣政務官、厚生労働副大臣、自由民主党厚生労働部会長などを歴任。

現在は衆議院議員（当選四回）、衆議院予算委員会理事、自由民主党総務など。

新型コロナウイルス感染症と対峙した
ダイヤモンド・プリンセス号の四週間

－現場責任者による検疫対応の記録－

定価　本体　1,500円＋税
令和３年９月28日発行

著　者：橋本　　岳
発行者：松谷　有希雄
発行所：一般財団法人日本公衆衛生協会
〒160-0022　東京都新宿区新宿1丁目29番8号
TEL（03）3352-4281（代）　FAX（03）3352-4605
http://www.jpha.or.jp/

印刷　大和綜合印刷株式会社
Printed in Japan ISBN978-4-8192-0261-9　C3047 ¥1500E